Sir Arthur Conan Doyle
Sherlock Holmes

A Liga dos Cabeças Vermelhas
e outras aventuras

Todos os direitos desta edição
reservados para Editora Pé da Letra
www.editorapedaletra.com.br

© A&A Studio de Criação — 2017

Direção editorial	James Misse
Edição	Andressa Maltese
Ilustração	Leonardo Malavazzi
Tradução e adaptação	Gabriela Bauerfeldt
Revisão de Texto	Nilce Bechara
	Marcelo Montoza

DCIP-BRASIL. CATALOGAÇÃO-NA-FONTE
SINDICATO NACIONAL DOS EDITORES DE LIVROS, RJ

D784L

Doyle, Arthur Conan
A liga dos cabeças vermelhas e outras aventuras / Arthur Conan Doyle; tradução Gabriela Bauerfeldt. - 1. ed. - Cotia, SP : Pé da Letra, 2017. : il.

Tradução de: The red-headed league
ISBN 978-85-9520-074-6

1. Conto infantojuvenil escocês. I. Bauerfeldt, Gabriela. II. Título.

17-46493   CDD: 028.5
             CDU: 087.5

Sir Arthur Conan Doyle

A Liga dos Cabeças Vermelhas

Quando cheguei em casa, na Baker Street, lá estava Sherlock Holmes acompanhado de um senhor gorducho que lhe contava uma história instigante.

— Ah, Watson! Que bom que chegou! Venha participar desta conversa! Esse é o doutor Jabez Wilson!

— Prazer! — disse o homem.

— Igualmente. Posso entender o que traz o senhor até aqui? — perguntei.

— Claro. Sem mais delongas vou contar de forma detalhada a minha história.

— Por favor, faça isso! — disse Sherlock Holmes. — Pois eu já percebi que você foi operário, maçom, morou na China e tem escrito muito ultimamente.

Jamez deu um salto da cadeira completamente atônito com as informações trazidas por Holmes.

— Como você sabe de tudo isso?

— É fácil! Reparei ao observá-lo!

— Bom, está bem, vamos a minha história. Veja este anúncio aqui!

Tirei o jornal de suas mãos e comecei a ler:

Liga dos Cabeças Vermelhas

Em virtude do falecimento de Ezequias Hopkins, da Pensilvânia, EUA, está aberta uma vaga que dá direito ao salário de quatro libras semanais por serviços não braçais. Solicitamos que todos os homens de cabelos vermelhos que estejam em perfeita saúde e tenham mais de 21 anos compareçam na segunda-feira, às onze horas, e tratem com Duncan Ross, nos escritórios da Liga, em Pope's Court, Fleet Street.

— O que é isso? — exclamei depois de ler várias vezes o anúncio.

Holmes ria mexendo-se em sua cadeira.

— Bom, Mr. Wilson, deixe de enrolação e conte-nos tudo sobre sua vida, suas posses e como esse anúncio o afeta!

— Como comecei a lhe contar há pouco, tenho um pequeno negócio de penhores na Saxe-Coburg. É pequeno e ultimamente mal dá para meu sustento. Antigamente tinha mais funcionários, hoje somos somente eu e um jovem, que consigo pagar pois ele aceita apenas metade do valor comum.

— Qual o nome desse jovem tão compreensivo? — perguntou Holmes.

— Vincent Spaulding, e ele não é tão jovem assim. Mas por que isso lhe interessa? Já não temos muitos problemas com esse caso?

— Um ajudante tão bondoso assim pode ser mais estranho do que esse anúncio. Ele continua em serviço?

— Sim, ele e uma mocinha que nos ajuda na limpeza e

fazendo comida. Vivemos todos juntos sem muitas novidades, exceto quando esse jornal chegou.

Mr. Wilson, então, passou a contar a sua história:

"Spaulding desceu para o escritório com esse jornal na mão e me disse:

'Gostaria de ter cabelos vermelhos, Mr. Wilson.'

'Por quê?', perguntei-lhe.

'Para entrar na Liga dos Cabeças Vermelhas. Eles estão com uma vaga. Se o meu cabelo mudasse de cor, esse seria um ótimo negócio para mim.'

'Mas o que é isso?', perguntei.

'O senhor nunca ouviu falar?'

'Não!'

'Nossa, muito me admira, pois o senhor é elegível para uma das vagas.'

'E quanto pagam?', perguntei.

'Umas duzentas libras por ano, mas o trabalho é muito pequeno. Umas duzentas libras extras não nos faria mal.'

'Conte-me tudo!'

'Bem', continuou ele mostrando-me o anúncio, 'como vê, há uma vaga na Liga, e está aqui o endereço onde obter as informações. Por tudo o que pude descobrir, a Liga foi fundada por Ezequias Hopkins, milionário americano, que tinha ideias muito esquisitas. Ele próprio tinha cabelos vermelhos e sentia grande simpatia por todos aqueles que o tinham da mesma cor. Assim, quando morreu, descobriram que deixara sua enorme fortuna nas mãos de depositários, com instruções para empregarem os juros na criação de empregos para homens que tivessem o cabelo daquela cor. Pelo que ouvi dizer, o trabalho é pouco e bem pago.'

'Mas uma multidão de homens deve se inscrever.'

'Nem tantos. As exigências são muitas em relação aos homens da Liga, principalmente em relação ao cabelo.'

Como podem ver, meu cabelo é vermelho mesmo, cor de fogo. Vincent Spaulding parecia saber tanto a respeito, que achei que seria útil. Fechamos tudo um dia e saímos à procura do endereço que vinha no anúncio. Nunca vi nada tão horrível. De norte, sul, leste ou oeste, qualquer homem que tivesse um fio de cabelo vermelho na cabeça tinha vindo para a cidade em resposta ao anúncio. Nem se podia passar na Fleet Street por causa deles, e Pope's Court mais parecia a carroça de um vendedor de laranjas. Nunca imaginei que houvesse tantos em todo o país como os que se reuniram por causa daquele anúncio. Havia cabelos de todas as tonalidades. Quando vi tanta gente à espera, quis desistir, desanimado, mas Spaulding não concordou. Como ele conseguiu, não sei, mas empurrou alguns e puxou outros, dando cotoveladas, até que atravessamos a multidão e subimos os degraus que levavam ao escritório.

'Este é o senhor Jabez Wilson!', disse o meu ajudante, 'ele quer preencher a vaga na Liga!'.

'É admiravelmente adequado ao lugar. Nunca vi nada tão perfeito! Deixe-me apenas tomar uma precaução!', disse o homenzinho que estava na sala. Ele puxou um fio de meu cabelo e, depois de ter feito isso, foi até a janela e gritou que a vaga estava preenchida.

'Meu nome é Duncan Ross e eu próprio sou um dos beneficiários do dinheiro deixado pelo nosso benfeitor. É casado, Mr. Wilson?'

'Não', respondi.

'Essa objeção poderia ser fatal em outro caso, mas, como seu cabelo é muito perfeito, não abriremos mão! Você pode começar amanhã? O horário é das dez às quatorze'

'Para mim, está bem. E o pagamento?'

'É de quatro libras por semana.'

'E o trabalho?'

'Puramente nominal!'

'Como assim?'

'Bem, o senhor terá de estar no escritório, ou pelo menos no edifício, durante todo o tempo. Se sair, perderá para sempre todas as vantagens. O testamento é muito claro quanto a esse ponto. Se sair durante o horário de trabalho, estará faltando a suas obrigações.'

'E o trabalho?'

'É copiar a Enciclopédia Britânica. O primeiro volume está dentro daquele armário. Tem de trazer sua própria tinta, penas e mata-borrão, mas nós lhe fornecemos esta mesa e esta cadeira. Até amanhã, então!'

Na manhã seguinte, preparei minhas coisas e segui caminho. Cheguei e lá estava a mesa a minha espera. Mr. Duncan Ross permaneceu até eu começar o meu trabalho. Comecei pela letra A e continuei. Isso aconteceu dia após dia, e as quatro libras semanais chegavam sempre. Eu estava satisfeito e não ousava sair do escritório por um só instante, pois não queria perder meu pagamento. Passaram-se oito semanas assim."

— E o que aconteceu para que você viesse até aqui? — perguntou Holmes.

— Hoje de manhã fui para o trabalho, como de costume, às dez horas, mas a porta estava fechada e havia um cartão fixado no centro.

A LIGA DOS CABEÇAS VERMELHAS
ESTÁ DISSOLVIDA
9 DE OUTUBRO, 1890

Sherlock Holmes e eu examinamos o pequeno cartão que, apesar de muito estranho, possuía sem dúvida o seu lado cômico. Quando percebemos, estávamos os dois caindo na gargalhada.

— Não consigo ver graça nenhuma — disse o cliente passando as mãos em sua cabeça vermelha flamejante. — Se não podem fazer nada além de rir de mim, eu irei a outro lugar.

— Não, não — disse Holmes recostando-se na cadeira —, eu não quero perder o seu caso por nada neste mundo. Ele não é usual, e isso é refrescante para mim. Mas aqui, se você me permite dizer, tem algo um pouco engraçado. Que medidas você tomou quando encontrou o cartão na porta?

— Eu fiquei estagnado, senhor. Não sabia o que fazer. Então eu chamei os policiais das redondezas, mas ninguém parecia saber nada sobre isso. Finalmente, eu fui até o senhorio, que é um contador que mora no piso térreo, e perguntei se ele poderia me dizer algo sobre a Liga dos Cabeças Vermelhas. Ele disse que nunca tinha ouvido falar. Então perguntei quem era Mr. Duncan Ross, e ele me respondeu que esse nome era novo para ele. Perguntei-lhe sobre o cavalheiro de cabelos vermelhos da sala número quatro, ele me respondeu que se tratava de William Morris, um advogado que estava usando a sala de forma temporária e que havia se mudado no dia anterior. O homem me passou o novo endereço. Rua King Edward, 17. Eu fu até lá, mas ninguém tinha ouvido falar em William Morris ou Duncan Ross.

— E o que você fez? — perguntou Holmes.

— Eu fui para casa e segui o conselho de meu assistente, mas isso não me ajudou. Ele só me disse que eu deveria esperar que logo seria notificado por uma carta. Contudo, não foi muito bom ter feito isso, Mr. Holmes. Afinal, eu não quero perder sem lutar e, como ouvi que você é muito bom em dar conselhos, vim diretamente até você.

— Você foi muito sábio — disse Holmes. — Seu caso é extremamente relevante e eu ficarei feliz em ajudá-lo. Pelo que você me disse, acho que seus problemas me parecem mais graves do que se pode perceber à primeira vista.

— Grave o suficiente! — disse Mr. Jabez Wilson. — Eu tenho perdido quatro libras por semana.

— Mesmo que você aparente estar preocupado — observou Holmes —, eu não vejo nenhuma queixa sua contra essa liga extraordinária. Pelo contrário, você está ganhando trinta libras para não falar sobre o que você sabe de cada assunto que vem debaixo da letra A. Você não perdeu nada.

— Não, senhor. Mas eu quero saber sobre eles, quem eles são e qual foi seu objetivo ao fazer essa brincadeira comigo. Foi uma piada cara, por isso custou-lhes trinta e duas libras.

— Precisamos nos esforçar e esclarecer alguns pontos com você. Em primeiro lugar, uma ou duas perguntas, Mr. Wilson. Esse seu assistente, que chamou sua atenção para o anúncio, está há quanto tempo com você?

— Um mês.

— Como ele veio?

— Por meio de um anúncio.

— Ele foi o único a se aplicar para a vaga?

— Não, tiveram outros doze.

— Por que você o escolheu?

— Porque ele era o mais útil e barato.

— Metade do salário, certo?

— Sim.

— Como ele é, esse tal de Vincent Spaulding?

— Pequeno, robusto, muito ligeiro em seus movimentos, sem cabelo no rosto, embora ele tenha mais de trinta anos. Tem um acúmulo de ácido branco sobre sua testa.

Holmes sentou-se em sua cadeira empolgado.

— Eu pensei bastante — disse ele. — Você reparou que suas orelhas são cheias de furos para *piercings*?

— Sim, senhor. Ele me disse que uma cigana havia feito nele quando ele era um rapaz.

— Hum — disse Holmes pensativo. — Ele ainda está com você?

— Ah, sim, senhor; eu acabei de deixá-lo.

— E seu negócio foi fechado na sua ausência?

— Não há nada para reclamar. De manhã temos pouco serviço.

— Faremos assim, Mr. Wilson. Eu lhe darei um parecer sobre o assunto em um dia ou dois. Hoje é sábado, espero que, na segunda-feira, eu já tenha chegado a uma conclusão.

— Bem, Watson — disse Holmes quando nosso visitante saiu —, o que você acha de tudo isso?

— Eu não acho nada, na verdade — respondi com franqueza. — Esse é um caso muito misterioso.

— Como regra — disse Holmes —, quanto mais bizarro algo é, menos misterioso será. Entretanto, no lugar-comum existem muitas peças a serem encaixadas, e fica mais difícil de identificar. Mas eu já estou acostumado com isso.

— O que você vai fazer então? — perguntei.

— Vou fumar. É um grande problema, e eu imploro que você não fique falando por cinquenta minutos.

Ele se enrolou na cadeira, com os joelhos na direção de seu nariz, e fechou seus olhos puxando o tubo de argila para dentro e para fora de sua boca. Depois de um tempo, cheguei à conclusão de que ele tinha adormecido, mas, de fato, eu havia me enganado. Num susto, ele pulou da cadeira como um homem que estivesse pronto e o cigarro definitivamente tivesse posto sua mente para funcionar.

— Sarasate toca no teatro St. James esta tarde — lembrou ele. — O que você acha, Watson? Seus pacientes esperam você por algumas horas?

— Eu não tenho nada para fazer hoje.

— Então coloque seu chapéu e venha. Vou passar pela cidade primeiro e nós podemos almoçar por lá. Vejo que tem uma boa quantidade de música alemã no programa, que eu a prefiro à italiana ou francesa. É introspectiva! É isso que eu quero, introspecção. Venha comigo!

Seguimos viagem até Aldersgate. A caminhada nos levou até a Praça Saxe-Coburg, a cena da singular história que ouvimos pela manhã. Era um lugar pobre, onde casas de tijolos de dois andares eram cercadas por um gramado de erva daninha que dava um ar desagradável ao local. Três argolas douradas seguravam uma placa marrom com o escrito "JAMES WILSON" em letras brancas, na frente de uma casa de canto, onde anunciavam o local do pequeno negócio de nosso cliente. Sherlock Holmes parou em frente e, com seus olhos brilhando, ficou observando tudo. Então caminhou lentamente na rua e, depois, seguiu para a esquina, ainda olhando intensamente para a casa. Finalmente, ele voltou para a casa de penhora de nosso cliente e bateu vigorosamente na porta. A porta foi aberta imediatamente por um jovem barbeado, de aparência brilhante, que pediu que Holmes adentrasse o local.

— Obrigado — disse Holmes —, eu só gostaria de saber como fazer para ir daqui até Strand.

— Terceira à direita, quarta à esquerda — respondeu prontamente o assistente fechando a porta.

— Camarada esperto esse — observou Holmes enquanto nos afastávamos. — Ele é, em meu julgamento, o quarto homem mais esperto de Londres, e, não tenho certeza, mas talvez seja o terceiro mesmo. Eu já conheci algo dele antes.

— Evidentemente — disse eu — o assistente de Mr. Wilson

tem boa parte nesse mistério da Liga dos Cabeças Vermelhas. Eu tenho certeza de que você passou por aqui apenas porque queria vê-lo.

— Não ele.

— O que então?

— O joelho de suas calças.

— E o que você viu?

— O que eu esperava ver.

— Por que você bateu na porta com força?

— Meu caro Watson, este é um tempo para observação, não para conversa. Nós somos espiões em um país inimigo. Nós sabemos algo da Praça Saxe-Coburg. Vamos agora explorar as partes em que pode haver mentira nesse caso.

A rua em que nos encontramos ao virar a esquina da Praça Saxe-Coburg apresentou um grande contraste em relação ao que vimos. Era uma das vias principais da cidade e ligava o norte com o oeste. A rua era lotada de comércios e cheia de pedestres. Era difícil crer que lojas tão finas e estabelecimentos comerciais enormes estivessem no mesmo quarteirão do lugar sombrio do qual tínhamos acabado de sair.

— Deixe-me ver — disse Holmes parado na esquina e observando a linha —, eu gostaria de me lembrar da ordem das casas aqui. É um *hobby* meu ter um conhecimento preciso de Londres inteira. Ali está a casa de Mortimer, a pequena banca de jornais, o banco Suburban e o restaurante vegetariano. Isso nos leva até o próximo quarteirão. E agora, doutor, nós fizemos nosso trabalho, então é hora de nos divertirmos um pouco. Um sanduíche com um copo de café e, depois, violinos em delicada harmonia. E não há cabeças vermelhas que possam nos vetar desse prazer.

Meu amigo era um músico entusiasmado; ele era não só excelente na performance, como também na composição. Todas as tardes ele se sentava e, na maior felicidade, dedicava-se à música. Holmes, o implacável e atento agente criminoso como era conhecido, tinha em seu caráter singular uma natureza dupla, era astuto e contemplativo ocasionalmente. O malear de sua natureza de extrema tranquilidade para a energia incessante era tão louco, que nem eu sabia bem como funcionava. Quando olhei para ele naquela tarde assistindo a um espetáculo musical e ouvindo, pude perceber que seus poderes sensitivos estavam aguçados e logo ele sairia do estado contemplativo para a ação de fato.

— Sem dúvidas, quer ir para casa, doutor — disse ele.

— Sim, seria bom.

— E eu tenho alguns negócios que precisarei resolver nas próximas horas. Será na Praça Coburg e é coisa séria.

— Por que séria?

— Um crime considerável está em jogo. Tenho todos os motivos para crer que posso chegar a tempo de impedi-lo. Mas, por ser sábado, acaba complicando as coisas. Eu devo precisar de sua ajuda à noite.

— A que horas?

— Às dez já será suficiente.

— Eu estarei na Baker Street às dez.

— Muito bem. E eu lhe digo, doutor, pode haver um pouco de perigo, então venha com seu revólver no bolso.

Ele se despediu, acenou a mão e desapareceu num instante no meio da multidão.

Sei que não sou estúpido, mas meu senso sempre era oprimido ao ouvir Sherlock Holmes. Nesse caso, eu ouvi tudo o que ele ouviu, vi o que ele viu, e, ainda assim, pelas suas palavras, pude perceber que ele não se deu conta claramente só do que aconteceu, mas do que estava para acontecer. Enquanto eu dirigia para minha casa em Kesington, pensei sobre tudo, desde a história da cabeça vermelha copiadora da *Enciclopédia* até a visita à Praça Saxe-Coburg, e, num instante, palavras ameaçadoras começaram a vir a minha mente. O que essa expedição noturna teria de perigosa? Por que eu deveria ir armado? Aonde iríamos? Esperava ter até a noite uma explicação.

Eram nove e quinze da noite quando comecei a seguir meu caminho pela Rua Oxford até a Baker Street. Quando cheguei, havia dois homens parados na porta. Ao entrar, deparei-me com Holmes tendo uma conversa animada com os dois, um dos quais eu reconheci como Peter Jones, agente oficial da polícia; o outro era um homem alto, magro, com semblante triste, chapéu brilhante e um casaco respeitável.

— Ah! Nossa festa está completa! — disse Holmes abotoando sua jaqueta. — Watson, acho que você conhece Mr. Jones da Scotland Yard? Deixe-me apresentá-lo ao Mr. Merryweather, que será nosso companheiro na aventura de hoje à noite.

— Vamos caçar em duplas de novo, doutor — disse Jones do seu jeito consciente. — Nosso amigo aqui é um homem maravilhoso para começar uma busca. Tudo o que ele quer é um cão para ajudá-lo na procura.

— Espero que um ganso selvagem não seja o fim de nossa perseguição — observou Mr. Merryweather.

— Você pode depositar total confiança em Mr. Holmes, senhor — disse o agente policial. — Ele tem seus próprios métodos, que são, se ele não se importar que eu diga, apenas um pouco teóricos e fantásticos, mas ele tem um detetive nato em si. Não é demais dizer que ele acerta sempre, como no caso do assassinato de Sholto e do tesouro de Agra, nos quais ele esteve mais correto que as forças oficiais.

— Se você está dizendo, Mr. Jones, está tudo bem — disse o estranho com indiferença. — Ainda assim, confesso que sinto ter perdido meu jogo. É o primeiro sábado em anos que eu não faço isso.

— Você vai encontrar — disse Sherlock Holmes — esta noite será a maior aposta que já fizeram. Para você, Mr. Merryweather, será algo em torno de trinta mil libras; e para você, Jones, será colocar as mãos no homem que você tanto deseja.

— John Clay, o assassino, ladrão e falsificador. Ele é um jovem, Mr. Merryweather, mas está na cabeça da sua profissão, e eu preferiria colocar as algemas nele do que em qualquer criminoso em Londres. Ele é um homem notável. Seu avô era um duque real, e ele mesmo foi para Eton e Oxford. Seu cérebro é tão esperto quanto seus dedos, e, embora nos encontremos com os sinais dele em cada turno, nunca sabemos onde encontrar o próprio homem. Ele vai abrir um berçário na Escócia em uma semana e levantar dinheiro para construir um orfanato em Cornwall na próxima. Estou na sua cola há anos e ainda não coloquei os olhos nele.

— Eu espero que eu tenha o prazer de apresentá-lo a

ele hoje à noite. Eu já cruzei com Mr. John Clay algumas vezes e concordo com você quando diz que ele é o melhor no que faz. Já devemos começar então.

Sherlock Holmes não estava muito comunicativo durante o caminho e recostou-se no táxi cantarolando as músicas que havia ouvido recentemente. Nós entramos em um labirinto praticamente sem fim até a Rua Farrington.

— Estamos chegando perto — disse meu amigo. — Esse companheiro Merryweather é diretor de banco e pessoa de interesse no assunto. Também pensei que seria bom ter Jones conosco. Ele não é um cara mau; apesar de ser um imbecil na profissão, ele tem uma virtude positiva. Ele é corajoso como um buldogue e tenaz como uma lagosta. Aqui estamos, e eles estão nos esperando.

Chegamos àquela rua lotada em que tínhamos nos encontrado pela manhã. Dispensamos nossos táxis e fomos seguindo a orientação de Mr. Merryweather. Passamos por uma passagem estreita através de uma porta lateral. Nesse pequeno corredor havia um enorme portão de ferro no final. Esse também estava aberto e nos levava a outro portão. Mr. Merryweather acendeu a lanterna e depois nos conduziu descendo uma passagem escura que cheirava terra, e, assim, depois de abrir uma terceira porta, chegamos a um enorme cofre que estava sobre enormes caixas de madeira.

— Você não parece tão vulnerável de cima — disse Holmes conforme levantava a lanterna e apontava para ele.

— Nem embaixo — disse Merryweather golpeando sua vara contra as caixas. — Ah, meu querido, isso parece bastante oco! — lembrou parecendo surpreso.

— Eu preciso que você fique mais em silêncio! — disse Holmes, bravo. — Você já comprometeu o sucesso de nossa expedição. Posso lhe pedir para que se sente em uma dessas caixas e não atrapalhe mais?

O solene Mr. Merryweather sentou-se não muito contente sobre uma caixa, enquanto Holmes ficou de joelhos no chão, pegou sua lupa de aumento e começou a examinar minuciosamente as fendas entre as pedras. Poucos segundos foram suficientes para satisfazê-lo, e ele logo ficou de pé novamente e colocou a lupa em seu bolso.

— Nós temos pelo menos uma hora a nossa frente — lembrou ele —, eles não podem fazer nada enquanto o dono da casa de penhora estiver na cama. Eles não vão desperdiçar um minuto. Como pode adivinhar, doutor, estamos no porão de um dos principais bancos de Londres. Mr. Merryweather explicará o grande interesse por este local.

— É o nosso ouro francês — disse o diretor. — Nós tivemos sérios avisos de que eles poderiam tentar algo contra isso.

— Seu ouro francês?

— Sim. Há alguns meses, para fortalecer nossos recursos, emprestamos trinta mil napoleões do Banco da França. Todos sabem que nunca desembalamos o dinheiro, que ainda está guardado em nossos cofres. Esta caixa que está aqui contém dois mil napoleões embalados em camadas de folhas de chumbo. Nossa reserva é muito maior que qualquer outra, nossos diretores até ficaram em dúvida quanto a isso.

— Mas tudo foi muito bem justificado — observou Holmes. — E agora é tempo de nos organizarmos em nossos planos. Eu espero que, em algumas horas, cheguemos a uma conclusão. Nesse meio tempo, Mr. Merryweather, nós precisamos deixar isso no escuro.

— E sentar no escuro?

— Eu temo que sim. Eu trouxe um pacote de cartas no meu bolso, vamos aguardar aqui. Mas eu vejo que os inimigos estão se preparando, não podemos correr o risco de ficar com a luz acesa. E, primeiro de tudo, vamos escolher nossas posições. Eles são homens astutos, precisamos deixá-los em desvantagem. Vou me colocar atrás dessa caixa, e vocês se posicionem atrás dessas aqui. Então, quando eu acender a lanterna, nós nos aproximamos. Se eles atirarem, Watson, não hesite em atirar de volta.

Eu carreguei meu revólver e o deixei posicionado. Holmes apagou a sua lanterna e nós ficamos na maior escuridão. Era escuro como nada que eu já tenha presenciado antes. O cheiro de metal queimando ainda estava no ar para nos lembrar de que a luz ainda estava ali pronta para ser acesa no momento certo. Para mim, estava sendo difícil controlar o nervosismo e a expectativa.

— Eles têm apenas uma vantagem — sussurrou Holmes —, que é voltar através da casa na Praça Saxe-Coburg. Eu espero que você tenha feito o que lhe pedi, certo, Jones?

— Tem um inspetor e dois policiais esperando em frente à porta.

— Então nós tapamos todos os buracos. E agora precisamos ficar em silêncio e aguardar.

Parecia uma eternidade. Só havia se passado uma hora e meia, mas, para mim, parecia que o sol estava raiando. Meus membros estavam cansados e rígidos, pois eu temia mudar de posição e estragar tudo. Todos os meus nervos estavam no nível máximo de tensão, e minha audição estava tão aguçada que eu podia ouvir o respirar de meus companheiros e ainda distinguir a respiração mais pesada, que era a de Jones. Na posição em que eu estava, só consegui ver o chão. De repente, meus olhos pegaram o brilho de uma luz.

De primeira, parecia apenas uma luz sobre o pavimento de pedra. Então, começou a se prolongar até se tornar uma linha amarela; de repente, sem aviso prévio ou qualquer som que fosse, surgiu uma fenda e dela saiu uma mão branca, quase feminina. Por um minuto ou mais a mão com os dedos que se contorciam saía do chão. Então, de modo repentino, ela sumiu, e tudo voltou a ficar escuro novamente, salvo a fenda que havia sido aberta entre as rochas.

O seu desaparecimento, no entanto, foi momentâneo. De repente, apareceu novamente a luz de uma lanterna, e ouvimos o som de pedras sendo removidas deixando um buraco aberto. Do buraco, começou a sair alguém; esse alguém era magro, pequeno, com um rosto muito pálido e o cabelo muito vermelho.

— Está tudo limpo — sussurrou ele. — Você está com as mochilas? Ótimo, Scott! Vamos, Archie, pule e eu seguro para você.

Sherlock Holmes surgiu e agarrou o intruso pelo pescoço. O outro mergulhou pelo buraco e pude ouvir o som de pano rasgando quando Jones agarrou seu casaco. A luz de um revólver brilhou sobre o barril, mas Holmes desviou a mão do homem e a pistola caiu sobre a pedra no chão.

— Não adianta, John Clay — disse Holmes de maneira branda. — Você não tem a menor chance.

— Então, pelo que vejo— respondeu o outro com frieza —, eu acho que meu amigo está bem, embora eu perceba que você está com o casaco dele.

— Tem três homens esperando por ele na porta — disse Holmes.

— Oh, de fato! Parece que você bolou a coisa de maneira muito completa. Eu devo cumprimentá-lo.

— E você... — respondeu Holmes — essa nova ideia de cabeça vermelha foi inovadora e eficaz.

— Você verá seu amigo novamente — disse Jones. — Ele é mais rápido que eu na escalada de buracos.

— Eu imploro que você não me toque com suas mãos sujas — observou o nosso prisioneiro enquanto colocávamos algemas em seus pulsos. — Você pode não estar ciente de que tenho sangue real em minhas veias.

— Tudo bem — disse Jones encarando-o. — Bem, você poderia, por favor, subir as escadas? Assim podemos chamar um táxi para levá-lo até a polícia.

— Já está melhor — disse John Clay de forma serena.

— Realmente, Mr. Holmes — disse Mr. Merryweather enquanto seguíamos o homem. — Eu não sei como o banco pode lhe agradecer ou lhe pagar por isso. Não há dúvidas de que você detectou e defendeu da melhor maneira possível uma tentativa de roubo a banco.

— Tem apenas uma ou duas coisas que eu preciso acertar com Mr. John Clay — disse Holmes. — Eu tenho que repassar algumas pequenas despesas, que eu espero que o banco cubra, mas além disso eu estou me sentindo já pago por essa experiência única ao ouvir a narrativa incrível sobre a Liga dos Cabeças Vermelhas.

— Você vê, Watson — explicava-me ele nas primeiras horas da manhã enquanto nos sentamos em frente a um copo de uísque e outro de refrigerante na Baker Street —, era perfeitamente óbvio que o que essa extraordinária Liga dos Cabeças Vermelhas queria era tirar o dono da casa de penhora de lá por algumas horas. Era uma maneira difícil de gerenciar as questões, mas seria difícil sugerir outro método. O método, sem dúvida, surgiu da mente engenhosa de Clay, por conta da cor do cabelo de seu cúmplice. As quatro libras por semana eram só para distrair, porque, na verdade, eles estavam em busca de milhares. Eles colocaram um bilhete na porta do escritório, guardada por um dos ladrões, e o outro incitava o homem a se inscrever, e juntos conseguiam garantir que, todas as manhãs, ele estivesse fora. Desde o momento em que ouvi falar do assistente ter vindo para receber meio salário, ficou claro para mim que ele tinha algum motivo forte para garantir a situação.

— Mas você imagina qual seria o motivo?

— Se houvesse mulheres no caso, eu poderia suspeitar de uma mera intriga vulgar. Isso, no entanto, estava fora de questão. O negócio do homem era pequeno e não havia nada na casa que pudesse explicar tais elaborações sofisticadas e a despesa que tiveram para tal. Devia ser algo fora da casa. O que poderia ser? Pensei no assistente pelo carinho com a fotografia e seu truque de desaparecer no porão. A adega! Havia fim para essa pista emaranhada. Então, eu fiz perguntas sobre esse misterioso assistente e descobri que eu estava lidando com um dos criminosos mais ousados de Londres. Ele estava fazendo algo na adega que levou muitos meses. O que poderia ser? Não pude pensar em nada, exceto que ele estava construindo um túnel para levá-lo até outro edifício. Tudo isso eu descobri quando fomos visitar a cena do crime. Eu bati sobre os pavimentos com a minha vara para ir identificando se a adega era na frente ou atrás, não era na frente. Então, como era de se esperar, eu toquei a campainha e o assistente respondeu. Eu mal olhei para os seus joelhos e eles já me mostravam o que eu queria ver. Você deve ter observado como as calças estavam desgastadas e manchadas; só pude concluir que eles estavam trabalhando no túnel. Quando viramos a esquina e vi o Banco Suburban colado com as costas da casa de penhora, senti que resolvi meu problema. Quando você foi para casa depois do concerto, eu fui conversar com o diretor e o presidente do banco, apresentando tais resultados.

— E como você contou a eles que sabia que a Liga tentaria entrar aquela noite? — perguntei.

— Bom, quando eles fecharam o escritório da Liga, foi um sinal de que eles não se preocupavam mais com a presença de Mr. Jabez Wilson. Em outras palavras, eles já tinham completado o túnel. Mas era essencial que eles o usassem logo ou algo poderia dar errado. Sábado seria melhor para eles do que qualquer outro dia, pois lhes daria dois dias para a fuga. Por todas essas razões eu esperava que eles viessem aquela noite.

— Sua forma de pensar me encanta — disse eu admirado.

— Isso me salva do tédio — respondeu bocejando. — Infelizmente, eu já sinto o que se aproxima de mim. Em minha vida eu faço um grande esforço para me afastar dos problemas comuns da existência, e casos como esse me ajudam nessa tarefa.

— E você ainda se beneficia disso.

Ele deu de ombros.

— Bem, talvez, depois de tudo, eu possa usar algo — disse. — "O homem não é nada, o trabalho, isso é tudo", como diria Gustave Flaubert para George Sand.

Sir Arthur Conan Doyle

As cinco sementes de laranja

Quando me debrucei sobre os casos de Sherlock Holmes ocorridos entre os anos 1882 e 1890, deparei-me com tantos que apresentam características estranhas e interessantes, que não é fácil escolher o mais cativante. Alguns, no entanto, já ganharam fama nos jornais, outros ficavam difíceis até mesmo de serem passados para frente de tão brilhante que é a capacidade de meu amigo ao trabalhar. Alguns frustraram sua habilidade analítica e ficariam como narrativas sem fim, enquanto outros foram parcialmente esclarecidos e têm suas explicações baseadas em conjecturas e na lógica tão querida para Holmes. Há, entretanto, um caso desses últimos que foi tão rico em detalhes, que estou tentando dar conta de tudo, apesar de possuir fatos que não se conectam com algumas explicações e, provavelmente trata-se de um caso que nunca será totalmente esclarecido.

O ano de 1887 nos forneceu uma longa série de casos, alguns de maior interesse, outros de menor. Entre minhas anotações nesses 12 meses, encontro alguns, como o caso de intoxicação em Camberwell ou as aventuras singulares do Grice Patersons na ilha de Uffa. No caso de Camberwell, Holmes conseguiu, ao analisar o relógio do morto, provar que a corda havia sido dada duas horas antes, portanto o falecido tinha ido dormir naquele momento — uma dedução que era da maior valia para esclarecer o caso. Tudo isso posso lembrar algum dia, mas nenhum deles tem características tão singulares como esse que vou descrever.

Eram os últimos dias do mês de setembro, e os ventos estavam batendo com uma violência excepcional. Todo dia o vento gritava e a chuva batia contra as janelas, de modo que, mesmo aqui no coração da metrópole de Londres, fomos forçados a reorganizar nossas rotinas por conta da presença dessas grandes forças elementares que nos faziam lembrar de nossa impotente humanidade. Quando a noite entrava, a tempestade crescia de forma cada vez mais forte e o vento chorava e berrava como uma criança em uma chaminé. Sherlock Holmes sentou-se ao lado de sua lareira enquanto eu me deliciava com as histórias marítimas de Russel Clark. Minha esposa estava com sua mãe e, por alguns dias, eu era mais uma vez um morador da Baker Street.

— Quem será? — perguntei para o meu companheiro. — Tenho certeza de que escutei o som da campainha. Você vai receber alguém hoje? Algum amigo, talvez?

— Exceto você, eu não tenho nenhum outro amigo e não sou de trazer visitantes — respondeu Holmes.

— Um cliente então?

— Se for, deve ser algo sério. Nada traria um homem até aqui com esse tempo horrível a essa hora. Mas eu acho que talvez seja uma das moças que tenho visto.

Holmes estava enganado em sua conjectura. Ouvimos um som mais alto de passos. Ele se alongou, ligou o abajur que estava atrás de si e colocou uma cadeira para o visitante.

— Entre! — disse ele.

O homem que entrou era jovem, por volta dos 22 anos, bem vestido e com um ar refinado. O guarda-chuva e as galochas denunciaram que ele atravessara um péssimo tempo para conseguir chegar até nós. Ele parecia estar ansioso, e eu pude ver que seu rosto estava pálido e seus olhos pesados como os de um homem que está vivendo algo muito tenso.

— Eu lhe devo desculpas — disse ele. — Eu espero não estar interrompendo nem estragando nada. Eu temo ter trazido alguns vestígios da chuva comigo.

— Dê-me seu casaco e seu guarda-chuva — disse Holmes. — Eles podem ficar aqui e vão secar num minuto. Você veio do sudoeste, pelo que vejo.

— Sim, de Horsham.

— Essa mistura de argila e giz que eu vejo em cima dos seus pés é bastante distintiva.

— Eu vim lhe pedir um conselho.

— Isso é fácil de conseguir.

— E ajuda.

— Isso já não é tão fácil.

— Eu ouvi falar de você, Mr. Holmes. O major Prendergast disse que você o salvou do escândalo no clube Tankerville.

— Ah, claro. Ele foi acusado de forma enganosa de estar contando cartas.

— Ele disse que você pode resolver qualquer coisa.

— Ele exagerou um pouco.

— Que você nunca foi derrotado.

— Fui derrotado três vezes. Uma delas, por uma mulher.

— O que é isso se comparado ao seu enorme sucesso?

— Verdade. Na maioria das vezes sou bem-sucedido.

— Então, assim será comigo.

— Eu lhe peço que se aproxime da lareira e me conte os detalhes do seu caso.

— Não é um caso comum.

— Nenhum dos casos que chegam a mim é comum. Eu sou a última cartada da maioria.

— Eu me pergunto se, mesmo com toda a sua experiência, você terá escutado um caso mais misterioso e com uma sequência de eventos tão inexplicável como o que aconteceu em minha família.

— Você está aguçando meu interesse — disse Holmes. — Peço que me dê os fatos mais essenciais para começarmos, e, depois, eu poderei lhe perguntar sobre os detalhes que considerar importante.

O jovem puxou a cadeira para frente e começou a falar:

"Meu nome é John Openshaw, mas minha vida, pelo que sei, não está diretamente ligada a essa coisa terrível. É uma questão hereditária, então deixe-me começar pelo começo do negócio.

Você precisa saber que meu avô teve dois filhos, meu tio Elias e meu pai, Joseph. Meu pai tinha uma pequena fábrica em Coventry, onde ele trabalhava na época desenvolvendo a bicicleta. Ele tinha a patente dos Openshaw, e seu negócio começou a dar tão certo que ele poderia vendê-lo e se aposentar com tranquilidade.

Meu tio Elias foi para a América quando jovem, tornou-se um agricultor na Flórida e parecia se dar muito bem no que fazia. Na época da guerra, ele lutou no exército de Jackson e depois no exército de Hood, onde ele foi promovido para ser coronel. Quando a guerra acabou, meu tio voltou para sua plantação, onde permaneceu por mais três ou quatro anos. Por volta de 1869 ou 1870 ele voltou para a Europa e comprou uma pequena propriedade em Sussex, perto de Horsham. Ele tinha acumulado uma fortuna considerável nos Estados Unidos, e seu motivo para partir foi sua aversão aos negros e à política republicana de estender aos negros o direito ao voto. Ele era um homem singular, raivoso e impetuoso. Durante todos os anos que ele viveu em Horsham, eu duvido que ele tenha pisado na cidade alguma vez. Ele tinha um jardim extenso com grandes campos ao redor de sua casa, onde ele continuava seu ofício, embora, por vezes, durante semanas, ele não saísse de seu quarto. Ele bebia uma grande quantidade de conhaque e fumava muito, não gostava de se encontrar nem com seu irmão nem com amigos.

Ele não se importava comigo. Na verdade, ele dizia que eu era uma fantasia, pois, quando ele me viu pela primeira vez, eu era um jovem de doze anos, e já fazia quatro anos que ele havia retornado à Inglaterra. Ele implorou ao meu pai que me deixasse viver com ele e era muito gentil comigo quando eu cruzava seu caminho. Quando ele estava sóbrio, tudo era melhor: ele costumava jogar gamão comigo e, aonde ele fosse, eu ia junto como seu representante, de modo que, com 16 anos, eu já era o mestre da casa. Eu tinha todas as chaves da casa e podia fazer tudo o que gostava, desde que não o incomodasse em sua privacidade. No entanto, havia um cômodo em que eu não podia entrar; ele era trancado e a ninguém era permitido entrar lá. Como eu era muito curioso, olhei através do buraco da fechadura, mas não consegui ver nada além de troncos e fardos antigos.

Um dia, em março de 1883, uma carta chegou com um selo estranho. Não era uma coisa comum para ele receber cartas; suas contas sempre eram pagas em dinheiro e ele não tinha nenhum amigo. Remetente: Índia, dizia na parte de cima. O que poderia ser? Ele abriu apressadamente e encontrou dentro cinco sementes de laranja. Eu comecei a gargalhar, mas parei no instante em que vi a seriedade em seu rosto. Ele tinha ficado tenso com o conteúdo daquela carta. No mesmo instante, ele começou a tremer e a gritar: 'Meu Deus, meu Deus, estou pagando pelos meus pecados!'.

'O que aconteceu, tio?', eu perguntei.

'Morte', disse ele, levantou-se da mesa e retirou-se para o seu quarto deixando-me completamente horrorizado. Eu peguei o envelope e vi, logo acima da aba interna, a letra K repetida três vezes. Não havia mais nada, além de cinco sementes secas. Qual poderia ser o motivo de tanto terror? Eu deixei a mesa do café da manhã e, quando subi a escada, vi-o vindo com uma pequena caixa de latão em uma das mãos e a velha chave que deveria ser da porta do sótão na outra.

'Eles podem fazer o que gostam, mas vou matá-los novamente', disse ele como um juramento. 'Diga a Mary que eu quero fogo na lareira hoje e chame Fordham, o advogado de Horsham.'

Eu fiz como ele havia me pedido e, quando o advogado chegou, eu fui convidado a permanecer na sala. A lareira estava com o fogo altamente brilhante, e havia uma massa de cinzas negras, como de papel queimado, enquanto a caixa de latão estava aberta e vazia ao lado dela. Como eu havia reparado na caixa, notei que nela estava escrito o mesmo K que eu tinha lido sobre o envelope de manhã. 'Deixo todas as minhas propriedades para seu pai, como você pode testemunhar, John, com todas as suas vantagens e desvantagens, e depois todas elas ficarão para você. Se você conseguir aproveitar de forma boa, ótimo. Se você achar que não, eu o aconselho a deixar tudo para o seu pior inimigo. Desculpe por lhe entregar essa faca de dois gumes, mas não posso dizer o rumo que as coisas vão tomar. Por favor, assine o papel onde Mr. Fordham mostra.'

Eu assinei o papel conforme ele me pediu, e o advogado o levou com ele. Esse incidente singular deixou uma profunda impressão em mim, e tudo isso transformou minha mente sem que eu pudesse fazer nada. No entanto, eu não consegui evitar o sentimento de medo que tinha sido gerado lá atrás, e nossa vida foi voltando para a rotina, mas diferente. Meu tio bebia mais do que nunca e passava a maior parte de seu tempo com a porta do quarto trancada. Às vezes ele tinha picos de loucura e frenesi e saía correndo pela casa e pelos jardins com uma arma na mão, dizendo que não tinha medo de homem nenhum e que ele não deveria estar preso como uma ovelha no cabresto. Quando esses ataques acabavam, ele voltava a se trancar em seus aposentos. Nesses dias, eu via sua face suada, mesmo nos dias mais frios.

Bem, chegando ao fim do assunto, Mr. Holmes, pois eu não quero abusar da sua paciência, em uma dessas noites de bebedeira ele saiu e nunca mais voltou. Quando saímos para procurá-lo, o encontramos morto perto de um lago verde que havia no fim do jardim. Não havia sinal de violência e o lago só tinha dois metros de profundidade. O júri considerou o episódio como suicídio. Embora eu soubesse que ele estava dominado por um pensamento de morte, eu também sabia que ele queria enfrentar algo, e acho que foi isso o que ele foi fazer. O assunto morreu, e meu pai tomou posse da propriedade que valia cerca de 14.000 libras."

— Um momento — disse Holmes —, pelo que percebo, sua declaração é uma das melhores que já ouvi. Diga-me a data que seu tio recebeu a carta e a data do seu suposto suicídio.

— A carta chegou no dia 10 de março de 1883. Sua morte aconteceu sete semanas depois, na noite de 2 de maio.

— Obrigado. Você pode prosseguir.

"Quando meu pai assumiu a propriedade de Horsham, ele, a meu pedido, examinou de forma atenta o sótão, que ficava sempre trancado. Nós encontramos a caixa de latão lá; embora estivesse vazia, no interior podíamos ver um papel com as iniciais K.K.K. repetidas e as palavras 'cartas', 'memorandos', 'recibos' e 'registros' escritas por baixo. Presumimos que tudo havia sido destruído pelo meu tio. De resto, não havia nada muito importante, exceto pelo grande número de papéis e cadernos que relatavam sobre a vida do meu tio na América. Alguns dos papéis continham provas de que meu tio fez um excelente trabalho na guerra e conquistou a reputação de um bravo soldado. Alguns deles eram da época em que aconteceu a reconstrução dos estados do sul.

Bom, estávamos no começo do ano de 1884 quando meu pai decidiu vir morar em Horsham, e tudo corria muito bem até janeiro de 1885. No quarto dia depois do ano-novo, estávamos indo tomar café da manhã quando meu pai deu um grito de surpresa, sentando-se à mesa com um envelope na mão com cinco sementes de laranja. Ele sempre deu risada da história que contei sobre o coronel, mas nesse dia ele pareceu seriamente desconcertado e assustado pensando que a mesma coisa poderia acontecer com ele.

'O que será que isso significa, John?', disse ele.

Eu parei por um instante e disse: 'É o K. K. K.'

Ele olhou dentro do envelope. 'É isso mesmo', disse com medo. 'Essas mesmas letras estão aqui. Mas o que é esse escrito sobre elas?'

'Coloque os papéis no relógio solar', li no papel.

'Que papéis? Que relógio?'

'O relógio que fica no jardim. Não tem outro. Mas os papéis devem ser esses que foram destruídos.'

'Ah, veja, nós aqui fazemos parte de uma terra civilizada, e não podemos aturar uma bobeira dessas. De onde vem essa coisa?'

'De Dundee', eu respondi ao analisar o selo postal.

'Uma piada absurda essa, só pode. O que eu devo fazer com um relógio de sol e papéis? Eu não me importarei com tamanho absurdo.'

'Eu devo falar com a polícia,' disse eu.

'Para eles rirem da sua cara.'

'Você me deixa ir então?'

'Não, pelo contrário, eu o proíbo, não quero confusão por causa de uma besteira dessa.'

Seria em vão argumentar com ele, pois era um homem muito obstinado. Entretanto, meu coração estava cheio de maus pressentimentos.

No terceiro dia depois de a carta ter chegado, meu pai foi visitar um antigo amigo, major Freebody, que é comandante dos fortes de Portsdown. Eu fiquei feliz de ele ir, pois tive a sensação que ele estaria mais longe do perigo do que se ficasse. Nisso eu estava enganado. No segundo dia que se passara depois de ele ter ido, eu recebi um telegrama vindo do major implorando para que eu fosse até lá imediatamente. Meu pai tinha caído num buraco profundo e quebrado o crânio. Ele permaneceu alguns dias em coma e depois morreu. Ao que tudo indica, ele estava caminhando no cair do dia e, como não conhecia o local, acabou caindo. O júri não hesitou em declarar morte por causas acidentais. Com cuidado, enquanto eu examinava os fatos relacionados a sua morte, eu não consegui encontrar nada que pudesse sugerir assassinato. Não havia sinais de violência, nenhuma pegada, nenhum roubo, nenhum registro de pessoas estranhas passando pela rodovia. Ainda assim, minha mente estava longe de estar tranquila, eu sabia que algo estranho e sujo estava por trás de tudo aquilo.

E foi desse modo sinistro que recebi minha herança. Você deve se perguntar por que eu não abri mão de tudo isso. Porque eu estava bem convencido de que nossos problemas eram de alguma forma dependentes de um incidente na vida do meu tio, e que o perigo continuaria a nos pressionar.

A data da morte do meu pai foi janeiro de 1885, e desde então se passaram dois anos e oito meses. Durante esse tempo, vivi bem em Horsham e comecei a criar certa esperança de que essa maldição tivesse saído de minha família. No entanto, acho que me confortei cedo demais, pois tudo recomeçou certa manhã."

Nesse momento, o jovem tirou de seu bolso um envelope, abriu-o sobre a mesa e lá estavam cinco sementes secas de laranja.

— Este é o envelope — continuou ele. — O selo postal é da divisão leste de Londres. Nele estão as mesmas palavras que estavam na carta que meu pai recebeu: "K. K. K." e "Coloque os papéis no relógio de sol".

— E o que você fez? — perguntou Holmes.

— Nada.

— Nada?

— Para dizer a verdade — ele colocou as mãos sobre o rosto num gesto de preocupação —, eu sinto que não posso ser ajudado. Eu me senti como um desses coelhos quando são perseguidos por uma cobra. Parece que sou vítima de algum mal imperdoável e nada que eu faça pode evitar que ele aconteça.

— Touché! — gritou Sherlock Holmes. — Você precisa agir, senão estará perdido. Nada além de sua energia pode salvá-lo. Desespero não o ajuda em nada.

— Eu fui até a polícia.

— Ah!

— Mas eles ouviram a minha história e riram. Eu estou convencido de que o inspetor já formou sua opinião de que as cartas são todas meras piadas e que as duas mortes foram mesmo acidentes, como disse o júri, e não estavam conectadas a nenhum perigo.

Holmes balançou sua cabeça.

— É incrível ver tamanha imbecilidade! — gritou.

— Entretanto, eles permitiram que um policial permaneça na casa comigo.

— Ele veio até aqui com você hoje?

— Não, ele tem ordens apenas para ficar na casa.

De novo, Holmes se balançou indignado.

— Por que você veio até mim? Ou melhor, por que não veio desde a primeira vez?

— Não sei. Somente hoje eu falei com major Prendergast sobre meus problemas e ele me aconselhou a vir até você.

— Já se passaram dois dias desde que você recebeu a carta. Seria ideal que tivéssemos agido antes. Você não tem mais evidências do que as que colocou antes, nenhum detalhe que possa nos ajudar?

— Tem uma coisa — disse John Openshaw.

Ele revirou o bolso de seu casaco, tirou de lá um pedaço de papel com a tinta já descolorida e colocou-o sobre a mesa.

— Eu tenho algumas lembranças de que, no dia em que meu tio queimou os papéis, eu observei que as pequenas margens não queimadas eram dessa cor em particular. Encontrei esta folha única no chão do seu quarto e estou inclinado a pensar que isso pode ser um dos papéis que, talvez, tenha disparado essa destruição. Há algo registrado sobre as sementes, mas eu não vejo nada que possa nos ajudar. Parece ser um diário antigo de meu tio, pois essa é sua letra com certeza.

Holmes moveu o abajur para ficar sobre o papel, que mostrou por sua borda esfarrapada que realmente tinha sido rasgado de um livro. Nele estava escrito "março de 1869" e, abaixo, havia alguns avisos enigmáticos:

4.º. Hudson veio. Mesma plataforma antiga.
7.º. Deixe as sementes no McCauley, Paramore e John Swain.
9.º. McCauley, certo
10.º. John Swain, certo
12.º. Visitar Paramore. Tudo certo.

— Obrigado! — disse Homes dobrando o papel e devolvendo ao nosso visitante. — Agora, não podemos perder mais nenhum minuto. Nós não podemos perder tempo nem discutindo sobre o que você me disse. Você precisa ir para casa imediatamente e agir.

— O que eu devo fazer?

— Existe uma coisa a ser feita. E precisa ser feita de uma vez por todas. Você precisa colocar esse papel na caixa de latão que você mencionou. Lá também coloque um bilhete dizendo que todos os outros papéis foram queimados por seu tio e que esse era o único que tinha restado. Tendo feito isso, você colocará a caixa no relógio solar, como foi pedido. Você entendeu?

— Totalmente.

— No momento, não pense em vingança ou nada do tipo. Nós podemos ganhar essa batalha pelo caminho da lei. Mas a primeira coisa a ser feita é tirar de você qualquer perigo iminente. A segunda é desvendar o mistério e punir as partes culpadas.

— Eu lhe agradeço — disse o jovem levantando-se e pegando sua capa. — Você me devolveu a esperança. Eu farei tudo que você me aconselhou a fazer.

— Não perca nem um instante. E, acima de tudo, cuide-se no meio tempo. Não há dúvidas de que você está correndo um sério risco. Como você vai voltar para casa?

— De trem, em Waterloo.

— Ainda não são nove horas. As ruas devem estar cheias, então eu creio que você estará seguro.

— Eu estou armado.

— Isso é bom. Amanhã devo trabalhar mais no seu caso.

— Vejo-o em Horsham, então?

— Não, o seu segredo fica em Londres. É aqui que eu devo procurar.

— Eu volto em um ou dois dias com notícias em relação à caixa e aos papéis. Devo seguir seu conselho em particular.

Ele se despediu e seguiu seu caminho. O vento e a chuva ainda estavam fortes. Aquela história louca e estranha havia chegado até nós como uma tempestade e precisávamos parar para compreendê-la.

Sherlock Holmes ficou um tempo em silêncio, com sua cabeça e seus olhos fixos na direção do fogo. Então, ele acendeu um cigarro e se recostou na sua cadeira.

— Eu acho, Watson — disse ele —, que de todos os nossos casos, nunca houve um mais fantástico que esse.

— Exceto, talvez, o Signo dos Quatro.

— Bem, é, talvez. Mas, ainda assim, esse jovem John

Openshaw parece estar submetido a mais perigos que os Sholtos. Você formou alguma definição sobre a quais perigos ele está submetido?

— Não me cabem questionamentos dessa natureza.

— Quais cabem então? Quem é K. K. K. e por que ele persegue essa família?

Sherlock Holmes fechou seus olhos e colocou seus cotovelos sobre os braços da cadeira.

— O raciocínio ideal pode ser feito não só através da cadeia de eventos que levou a isso, mas também dos resultados. Como fazia Cuvier ao descrever um animal pela análise de um único osso. É preciso analisar todos os fatos e seus respectivos impactos para chegarmos a algumas conclusões.

— Sim — respondi rindo.

— Bem — disse Holmes —, eu digo agora, para um caso como esse que nos foi enviado, que precisaremos reunir todos os nossos recursos. Por favor, entregue-me a letra K da coletânea Enciclopédia Americana que fica na prateleira ao seu lado. Obrigado. Agora, vamos considerar os fatos e ver o que pode ser deduzido disso. Em primeiro lugar, podemos começar presumindo que o coronel Openshaw teve uma razão muito forte para sair da América. Os homens não mudam tão rapidamente e de forma voluntária do clima encantador da Flórida para uma cidade provincial inglesa. Seu desejo repentino de se mudar para a Inglaterra sugere a ideia que ele estava com medo ou algo assim, medo de alguém ou algo que foi tão grande que o expulsou da América. Quanto ao que ele temia, podemos deduzir isso das cartas que ele, seu irmão e sobrinho receberam. Você observou os carimbos postais dessas cartas?

— O primeiro veio de Pondicherry, o segundo de Dundee e o terceiro de Londres.

— Do leste de Londres. O que você deduz disso?

— É um local de portos marítimos. O escritor da carta devia estar a bordo de um navio.

— Excelente. Nós já temos uma pista. Não há dúvidas que o escritor provavelmente estivesse a bordo de um navio. E agora vamos considerar outro ponto. No caso de Pondicherry, sete semanas se passaram entre a ameaça e o cumprimento dela; em Dundee, foram apenas três ou quatro dias. Isso não lhe sugere algo?

— Uma grande distância de viagem.

— Mas a carta também teve que atravessar a mesma distância.

— Então, eu não vejo o ponto.

— Há pelo menos uma presunção de que o navio em que o homem, ou os homens, viajam seja um barco a vela. Parece que eles enviam seu aviso antes de embarcarem em uma missão. Você vê com que rapidez a ação seguiu quando a carta veio de Dundee. Se eles viessem de Pondicherry, em um instante teriam chegado. Mas sete semanas se passaram, e elas representam a diferença entre o barco do correio que trouxe a carta e o barco a vela que trouxe o escritor.

— É possível.

— Mais que isso. É provável. E agora você consegue entender a grande urgência desse caso, e o porquê de eu ter dito ao jovem Openshaw para se precaver. O golpe sempre ocorria no final do tempo que levava para os remetentes percorrerem a distância. Mas esse vem de Londres, e, portanto, não podemos contar com o atraso.

— Deus do céu! — gritei. — Qual será a razão dessa perseguição sem fim?

— Os papéis que Openshaw carregava eram com certeza de importância vital para os navegadores. Eu acho que está bem claro que ele costumava ser um deles. Um único homem não poderia ter realizado sozinho o assassinato de duas pessoas e enganar dessa forma o júri forense. Devem ser vários homens, e eles devem fazer uso dos mais diversos tipos de recursos e estratégias. Desse modo, você vê que K.K.K. deixa de ser as iniciais de um só e torna-se o emblema de uma sociedade.

— Mas que tipo de sociedade?

— Você nunca ouviu sobre os Ku Klux Klan?

— Não.

Holmes virou o livro que estava segurando para mim e disse:

— Aqui está, leia!

Ku Klux Klan. O nome deriva do som produzido a partir do disparar de um rifle. Essa terrível sociedade secreta é formada por ex-soldados no Sul, e surgiu depois da Guerra Civil; rapidamente se expandiu por outros lugares do país, como o Tennessee, a Louisiana, as Carolinas, a Geórgia e a Flórida. Seu poder é usado para propósitos políticos, principalmente para aterrorizar os negros e matar aqueles que se opõem a eles. Os atentados geralmente são precedidos por algum aviso extraordinário, mas geralmente reconhecido, coisas como um raminho de folhas, sementes de melão ou de laranja. Ao receber isso, a vítima pode se arrepender de seus feitos anteriores ou deve sair do país. Se o assunto, no entanto, for de grande gravidade, a morte cairá sem falha sobre a pessoa e geralmente de maneira imprevista. A sociedade tem uma organização tão perfeita, que dificilmente há um caso de que algum deles foi rastreado pela polícia. Por alguns anos a organização cresceu, apesar dos esforços do governo americano para barrá-la. Eventualmente, no ano de 1869, o movimento subitamente entrou em colapso, mas ainda vemos fatos isolados e ações que se assemelham às da sociedade.

— Você vai ver — disse Holmes guardando a enciclopédia — que a ruptura da sociedade coincide com o desaparecimento de Openshaw da América com seus papéis. É uma questão de causa e efeito.

E aconteceu assim como Holmes previu, todas as conexões haviam sido estabelecidas.

— Bem, meu caro Watson, parece que encontramos uma luz na escuridão, não há nada mais para ser feito ou dito hoje. Passe-me meu violino e vamos tentar, por pelo menos meia hora, esquecer esse terror tão grande.

Já estava amanhecendo e o sol brilhava de forma intensa por toda a cidade. Sherlock Holmes já estava tomando café da manhã quando eu desci.

— Desculpe-me por não esperá-lo — disse ele. — Pelo que vejo, eu terei um dia muito ocupado antes de poder parar e olhar para o caso dos Openshaw.

— O que você vai fazer?

— Isso vai depender muito do resultado dos meus primeiros interrogatórios. Eu vou seguir para Horsham depois.

— Você não ia para lá antes?

— Não, eu devo começar pela cidade. Toque o sino que a empregada lhe trará um café.

Eu fiquei aguardando e, enquanto isso, abri o jornal. Meus olhos foram direto para uma terrível notícia.

— Holmes —gritei—, você já está atrasado.

— Ah! Com toda certeza. Como aconteceu? — disse ele de forma calma, mas eu pude ver que ele estava profundamente mexido.

— Tragédia perto da Ponte Waterloo. Diz assim:

Entre nove e dez horas da noite passada, o policial Constable Cook, que estava de plantão perto da Ponte Waterloo, ouviu um grito de ajuda e um respingo na água. Como estava tudo muito escuro e tormentoso, era praticamente impossível efetuar um resgate. O alarme foi dado e, com a ajuda da polícia aquática, o corpo foi resgatado. Os peritos provaram ser de um jovem, cujo nome pôde ser visto no envelope que estava em seu bolso: era John Openshaw, e sua residência fica perto de Horsham. A polícia suspeita que ele seguia para tentar pegar o último trem que saísse da estação Waterloo e, por estar com pressa, acabou perdendo o caminho e caiu sobre o rio. O corpo não aparentava nenhum sinal de violência e não há dúvidas de que a morte ocorreu de forma acidental, o que poderia ter sido evitado se o jovem prestasse atenção nas indicações das autoridade locais.

Nós nos sentamos em silêncio por alguns minutos, Holmes estava extremamente abalado.

— Isso fere meu orgulho, Watson — disse ele. — É um sentimento egoísta, sem dúvidas, mas isso fere meu orgulho.

Tornou-se um assunto de interesse pessoal agora, e, se Deus me der saúde, eu colocarei minhas mãos sobre essa gangue.

Levantou-se de sua cadeira e andava pelo quarto com uma agitação incontrolável.

Durante todo aquele dia, Holmes esteve fora, e eu estive ocupado com minhas obrigações profissionais. Eram quase 22h quando ele retornou, pálido e cansado.

— Você está bravo — disse eu.

— Faminto. Eu me esqueci. Não comi nada desde o café da manhã.

— Nada?

— Nem uma beliscada. Não tive tempo de pensar nisso.

— E como foi?

— Bem.

— Você tem uma pista?

— Eu os tenho na palma de minhas mãos. A morte do jovem Openshaw não terá sido em vão. Vamos colocar nossas mãos sobre eles de forma bem pensada!

— O que você quer dizer com isso?

Ele pegou uma laranja e, despedaçando-a, esmagou suas sementes em cima da mesa. Daquelas todas, ele pegou cinco e colocou em um envelope. Dentro do envelope ele escreveu: "De S.H. para J.O.". Então ele selou e endereçou para "Capitão James Calhoun, Savannah, Geórgia."

— Isso estará esperando por ele quando ele chegar ao porto — disse ele rindo. — Pode dar-lhe uma noite de sono a mais. Ele achará com certeza algo diferente.

— E quem é Capitão Calhoun?

— O líder da gangue. Eu vou querer os outros, mas eu o quero primeiro.

— Como você o achou?

Ele tirou um papel de seu bolso, cheio de datas e nomes.

— Eu passei o dia todo olhando registros e antigos papéis, seguindo o registro de cada embarcação que chegou em Pondicherry em janeiro e fevereiro de 1883. Foram trinta e seis navios durante esses meses. Um deles era o Lone Star, um nome diferente para ser de Londres, e provavelmente se referia a algum estado americano.

— Texas, eu acho.

— Eu não tenho certeza disso, mas eu sei que o navio tem origem americana.

— De onde então?

— Eu procurei os registros de Dundee, e achei Lone Star passando por lá em janeiro de 1885; minha suspeita então se tornou uma certeza. Em seguida, eu pedi os registros dos navios que estavam parados no porto de Londres.

— E então?

— O Lone Star chegou nessa última semana. Eu fui até o deque e descobri que ele havia seguido caminho. Como o vento é do Leste, não tenho dúvidas que ele já passou do Goodwins e não está muito longe da Ilha Wight.

— O que você vai fazer então?

— Ah, eu vou colocar minhas mãos sobre ele. Ele e os dois comparsas, todos americanos. Os outros são finlandeses e alemães. Eu também sei que eles saíram do navio na noite de ontem. Quem me passou essa informação foi o estivador que estava carregando cargas. No momento em que o navio alcançar Savannah, o correio aquático terá levado esta carta e a polícia será informada de que os cavalheiros a bordo do Lone Star são acusados de assassinato.

No entanto, houve uma falha no plano e os assassinos nunca receberam as sementes de laranja que lhes mostraria que outro, tão esperto quanto eles, estava em sua trilha. Os ventos foram longos e de grande duração naquele ano. Esperamos por muito tempo notícias do Lone Star, mas nenhuma chegou. Nós finalmente ouvimos falar que, em algum lugar no Atlântico, foi encontrada uma popa quebrada balançando na calha de uma onda com as letras "L. S." sobre ela. E isso é tudo que sabemos sobre o destino de Lone Star e seus tripulantes.

SIR ARTHUR CONAN DOYLE

O homem da boca torta

Isa Whitney era irmão do falecido Elias Whitney, diretor da Faculdade de Teologia da Universidade St. George, e, por sua vez, era viciado em ópio. O hábito cresceu nele enquanto estava na faculdade ao ler a descrição de De Quincey sobre seus sonhos e sensações ao se drogar. A prática adquirida por ele foi mais fácil de ser alcançada do que deixada para trás, e, por muitos anos, ele foi escravo da droga, o que gerou em seus amigos e parentes um misto de horror e piedade em relação a ele.

Uma noite, em junho de 1889, eu estava começando a relaxar e preparava-me para sentar-me em minha cadeira quando tocou minha campainha. Minha esposa se levantou para atender e olhou para mim com um ar desapontado dizendo:

— Um paciente! Você tem que sair.

Eu não gostei daquela informação, pois tinha passado por um dia cansativo. Ouvi a porta abrir, alguns passos apressados em minha direção e algumas palavras apenas. Foi então que uma moça com um véu escuro sobre o rosto entrou na sala.

— Desculpe-me vir aqui tão tarde... — começou a dizer e, de repente, num instante, perdeu totalmente o controle e abraçou minha esposa pelo pescoço. — Oh, eu estou em uma grande enrascada! — gritou. — Eu preciso de ajuda!

— Meu Deus, é você, Kate Whitney, eu não fazia ideia disso quando você entrou — disse minha esposa.

— Eu não sabia o que fazer, então, vim direto até você.

Era sempre a mesma coisa: quem estava em profunda tristeza procurava minha mulher.

— Foi muito sensato da sua parte me procurar. Agora, você deve querer um vinho ou uma água, e mais, sente-se aqui para que possa compartilhar conosco seu problema. Ou você prefere que James se retire?

— Não, de forma alguma! Eu quero a ajuda do doutor e seus conselhos também. É sobre Isa. Ele não aparece em casa há dois dias. Eu temo tanto por ele!

Não era a primeira vez que ela falava sobre os problemas de seu marido para mim, como doutor, e para minha esposa, como uma antiga amiga e companheira de colégio. Nós a confortamos com palavras que poderiam ajudá-la. Onde estava o seu marido? Será que nós poderíamos ajudá-la a trazê-lo de volta?

Parecia que sim. Ela tinha a informação exata sobre o atraso dele quando usava ópio em uma casa ao leste da cidade. Até então, suas orgias sempre foram confinadas a um dia, e no fim ele voltava quebrado. Mas, dessa vez, já tinham se passado quarenta horas, e ele havia ficado ali entre as rochas, ou os efeitos o fizeram apagar. Ele realmente estava lá, no bar em Upper Swandam Lane. Mas o que ela deveria fazer? Como uma mulher jovem e tímida abre caminho para chegar a esse lugar e arrancar seu marido de lá?

Tínhamos um caso e, é claro, não havia um caminho senão esse: escoltá-la até o local. Ou melhor, por que ela deveria ir? Eu era o conselheiro médico de Isa e tinha influência sobre ele. Seria até melhor se eu estivesse sozinho. Eu dei a ela a minha palavra de que eu o mandaria de volta em um táxi nas próximas duas horas para o endereço que ela tinha me passado. Então, em dez minutos, lá estava eu me dirigindo para o local onde coisas estranhas estavam por acontecer.

Na primeira parte de minha aventura, não encontrei muitas dificuldades. Upper Swandam Lane é uma vila que fica no lado norte e na direção leste em relação a London Bridge. Entre uma casa de fumo e uma casa de gim havia um enorme lance de degraus que levava a um fosso negro, como se fosse uma caverna, e era isso mesmo que eu procurava. Pedi para o meu táxi aguardar e fui descendo pelos degraus que estava repleto de pessoas bêbadas e drogadas. Ao fim dos degraus havia um trinco; eu abri, lá estava um quarto repleto de fumo de ópio, com beliches de madeira parecendo um navio de imigrantes.

Todos que lá estavam pareciam desacordados como que num êxtase, cabeças jogadas para trás, outros ajoelhados com o rosto sobre os potes metálicos. A maioria estava em silêncio, mas alguns falavam com uma voz estranha, baixa e monótona. E, lá no canto, estava um homem velho e magro, com seus cotovelos apoiados em seus joelhos e seus olhos fixos no fogo.

Assim que eu me aproximei, um homem me ofereceu a droga.

— Obrigado. Eu não vim para ficar — disse eu. — Tem um amigo meu aqui, Mr. Isa Whitney, e eu gostaria de falar com ele.

Ouvi uma movimentação a minha direita e algumas vozes sussurrando. Lá eu vi Whitney, pálido e despenteado, encarando-me.

— Meu Deus! É o Watson! — disse ele. — Watson, diga-me que horas são?

— Perto das onze.

— De que dia?

— Sexta, 19 de junho.

— Deus do céu! Eu pensei que fosse quarta. É quarta. Você está querendo me assustar?

Ele parecia atordoado pelos seus pensamentos naquela hora.

— Estou lhe dizendo, é sexta. Sua esposa está há dois dias esperando por você. Você deveria ter vergonha de si!

— Eu tenho, mas você se enganou, Watson, eu só estou há algumas horas e uns três fumos ou quatro, eu esqueci quantos. Eu vou para casa com você. Pobre Kate, eu não queria assustá-la. Dê-me sua mão! Você tem um táxi?

— Sim, tem um me esperando.

— Então eu irei nele. Mas eu devo estar devendo algo. Veja o que eu devo, Watson. Eu não posso fazer nada por mim mesmo.

Eu andei entre os drogados, segurando minha respiração daquele ar cheio de drogas, procurando pelo gerente do local. Quando passei por um homem sentado, ouvi uma voz dizendo: "Passe por mim e depois dê a volta ao meu redor". As palavras soaram estranhas para mim. Eu olhei para baixo.

Elas só poderiam ter vindo do velho ao meu lado, e, ainda assim, ele estava lá totalmente envolvido com o tubo de ópio entre os dedos. Dei dois passos para frente e olhei para trás. Tive que usar de todo autocontrole presente em meu corpo. Lá estava ele, sem rugas, olhos arregalados diante do fogo e sorrindo. Para minha surpresa, lá estava Sherlock Holmes. Ele fez um pequeno movimento para que eu me aproximasse e instantaneamente virou o rosto para mim.

— Holmes! — sussurrei. — O que diabos você está fazendo aqui?

— Fale o mais baixo que você conseguir — respondeu —, eu tenho ouvidos excelentes. Se você tiver a gentileza de se livrar desse amigo, eu ficarei extremamente contente em conversar com você.

— Tenho um táxi lá fora.

— Então mande seu amigo para a casa dele. Você pode confiar nele. Eu também recomendo que você envie um bilhete para sua esposa pelo taxista dizendo que você se encontrou comigo. Se você quiser me esperar lá fora, eu devo estar lá em alguns minutos.

Era difícil rejeitar os pedidos de Sherlock Holmes, ele sempre deixava no ar um quê de mistério que me excitava. Entretanto, eu senti que, quando Whitney finalmente estivesse no táxi, minha missão estaria praticamente cumprida, e, de resto, eu não desejaria nada melhor do que uma nova aventura com meu querido amigo. Em alguns minutos, eu escrevi o bilhete, paguei a conta de Whitney, coloquei-o no táxi e o mandei para casa. Em pouco tempo, surgiu do buraco do ópio a figura animada de Sherlock Holmes. Ele estava andando de maneira incerta e rindo à toa.

— Suponho, Watson, que você imagina que eu esteja viciado em ópio e cocaína e em todas as outras drogas existentes.

— Certamente, surpreendi-me de encontrar você aqui.

— Mas não mais do que eu ao encontrá-lo aqui.

— Eu vim para encontrar um amigo.

— E eu para encontrar um inimigo.

— Um inimigo?

— Sim, encontrar meu inimigo natural, que não me prende mais. Estou no meio de um notável inquérito, Watson, e espero encontrar pistas no meio dessas coisas, como já fiz antes. Eu já usei isso, mas minha vida não valia a pena, e duramente Lascar jurou vingança sobre mim. Eu já descobri hoje, por exemplo, que tem uma armadilha na parte de trás de um edifício perto da esquina do Paul Wharf.

— O quê? Você não quis dizer corpos?

— Ah, Watson, seríamos ricos se tivéssemos mil libras para cada homem que fosse condenado à morte por aqui. Isso é uma armadilha de assassinato e temo que Neville St. Clair entrou no jogo para nunca mais jogar. Mas nossa armadilha deve estar bem aqui.

Ele colocou os dois dedos em sua boca e assobiou — um sinal que foi respondido por um apito semelhante e seguido pelo barulho de rodas e de cascos de cavalo.

— Agora, Watson — disse ele enquanto um carrinho atravessava a escuridão jogando dois feixes de luz amarela —, você virá comigo, certo?

— Se lhe for útil.

— Ah, um compadre como você é sempre útil. Meu quarto no The Cedars é um quarto duplo.

— The Cedars?

— Sim, é a casa de Mr. St. Clair. Eu estou ficando lá durante o inquérito.

— Onde fica?

— Em Near Lee, Kent. Nós temos umas sete milhas a nossa frente até lá.

— Mas eu estou completamente sem entender.

— É claro que você está. Você só ficou sabendo agora. Entre aqui.

Holmes seguiu caminho pela escuridão, voando por uma ponte, com o rio fluindo abaixo de nós. Dirigiu em silêncio com a cabeça afundada em seu peito, com ar de um homem que está perdido em seus pensamentos. Eu estava sentado atrás dele, curioso sobre o que poderíamos vir a descobrir e o que se passava em seus pensamentos naquela hora. Nós dirigimos por muito tempo e estávamos chegando perto das vilas do subúrbio quando Holmes se chacoalhou, levantou os ombros e acendeu um cigarro com o ar de um homem que estava satisfeito e fazendo o seu melhor.

— Você tem o dom do silêncio, Watson — disse. — Isso faz de você uma companhia de extremo valor. É ótimo ter alguém para conversar, mas meus pensamentos não são sempre agradáveis. Eu estou pensando no que devo dizer à linda mulher que vai me encontrar na porta muito em breve.

— Você se esqueceu de que eu não sei nada sobre isso.

— Eu terei tempo de lhe contar os fatos antes de chegarmos a Lee. Parece absurdamente simples, mas, ainda assim, eu não consigo descobrir nada sobre o caso. Agora, eu vou encarar o caso claramente com você, Watson, e talvez você veja uma luz no fim do túnel que eu não estou vendo.

— Proceda então.

— Há alguns anos, para ser mais exato, maio de 1884, chegou a Lee um cavalheiro, Neville St. Clair era o seu nome, parecia ser alguém cheio de dinheiro. Ele comprou uma casa enorme e vivia em grande estilo. Fez amigos na vizinhança e, em 1887, ele casou-se com a filha do cervejeiro local, com a qual ele teve dois filhos. Ele não tinha nenhuma profissão específica, mas estava interessado em várias empresas. Toda manhã ele partia para a cidade e retornava às 5h14, todos os dias. Mr. St. Clair era um homem de hábitos fortes, bom marido, pai afetuoso e muito popular entre todos. Posso acrescentar que todas as suas dívidas, no momento atual, equivalem a 88 libras, e ele possui um crédito de 220 libras no Banco Counties. Logo, não há motivos para pensar que problemas financeiros pairem sobre sua mente. Na última segunda-feira, Mr. Neville St. Clair foi à cidade como de costume. Além de sua rotina usual, ele tinha duas missões a cumprir e também precisava levar para seu menino em casa uma caixa com brinquedos de montar. Sua esposa, na mesma hora, recebeu um telegrama dizendo que o valor que ela estava esperando já estava nos escritórios da Aberdeen Shipping. Agora, se você conhece Londres, você saberá que o escritório da empresa é na rua Freso, que se ramifica na Upper Swandam Lane, onde você me encontrou à noite. Mrs. St. Clair foi, almoçou pela cidade, fez algumas compras e passou no escritório da empresa exatamente às 4h35, passando por Swandam Lane em seu caminho de volta para a estação. Você está me acompanhando até agora?

— Sim, está bem claro.

— Se você se lembra, segunda-feira estava extremamente quente, e Mrs. St. Clair caminhava devagar, na expectativa de encontrar um táxi, já que ela não apreciava a vizinhança na qual se encontrava. Enquanto ela estava andando por Swandam Lane, ela ouviu um choro; quando ela se voltou, viu o rosto de seu marido na janela do segundo andar de um prédio. Ele parecia estar aterrorizado e agitado. Ele balançou suas mãos para ela e depois desapareceu da janela, como se estivesse sendo puxado para trás com muita força. Algo que ela reparou na hora foi que ele estava sem sua gravata e colarinho. Convencida de que algo havia acontecido com ele, ela se precipitou sobre os degraus da casa, que não era outra senão aquela ao lado do local em que você me encontrou. Ao subir a escada, ela logo se encontrou com Lascar, o homem sem escrúpulos, sobre o qual comentei com você hoje. Ele a empurrou para fora e a levou para a rua com a ajuda de um de seus assistentes. Cheia de medo e espanto, ela correu pelas ruas até encontrar um policial e voltou com ele até o local, mas, quando chegou lá, não encontrou mais ninguém por perto. Nenhum sinal de seu marido ou qualquer outra pessoa. Lascar negou com tanta veemência a história da mulher, que se fez convincente e quase se deixou levar, quando a Mrs. Clair repentinamente foi até um canto da sala e achou a caixa de blocos de montar que era o brinquedo que seu marido havia prometido levar para as crianças em casa.

Holmes continuou:

— Esse fato fez o policial perceber que o assunto era sério e precisava ser examinado de maneira cautelosa. Os quartos então foram cuidadosamente examinados e os resultados apontavam para um crime abominável. Na janela, havia vestígios de sangue e várias gotas dispersas também estavam sobre o chão. Atrás de uma cortina foram encontradas todas as roupas de Mr. Neville St. Clair, com exceção de seu casaco. Não havia sinais de violência sobre o vestuário e não havia outros sinais de Mr. Neville S.t Clair. Estava claro que uma horrível tragédia havia acontecido ali. Quanto aos vilões, Lascar dizia não saber nada, mas seus antecedentes criminais eram ruins. Entretanto, a história da Mrs. Clair dizia que ele estava na escada, logo ele pode ter sido só mais uma peça no crime, não o assassino em si. Ele ainda disse não ter informações sobre os feitos de seu inquilino Hugh Noone e que não podia explicar de forma alguma a história sobre as roupas do cavalheiro. Agora, quanto ao homem sinistro que vive no segundo andar, trata-se de Mr. Hugh Noone, um deficiente físico que é portador de um rosto horrível e está sempre como mendigo vagando pela cidade. Ele é, na verdade, um mendigo profissional; para evitar a polícia, no entanto, ele finge ter um pequeno comércio de vestes de cera. A sua aparência é chocante: um rosto pálido, desfigurado por uma cicatriz horrível, que, pela contração de sua boca, fica parecendo com um buldogue. O par de olhos escuros se contrasta com o laranja de seus cabelos e afasta a multidão de perto dele. Esse é o homem que costuma ser inquilino da casa de ópio e parece ter sido o último a estar com o cavalheiro de quem estamos em busca.

— Que horror! — disse eu. — O que um aleijado poderia

ter feito a sós contra a vida desse homem tão sadio?

— Ele é aleijado no sentido de que manca, mas em todos os outros aspectos ele parece ser um homem poderoso e bem nutrido. Certamente, sua experiência médica lhe dirá que muitas vezes a fraqueza em um membro é compensada pela força em outros.

— Por favor, continue a história — disse eu.

— Mrs. St. Clair já estava totalmente fora de si e foi escoltada para casa pelos policiais, já que sua presença não ajudaria o trabalho dos investigadores. O inspetor Barton, responsável pelo caso, examinou cuidadosamente as instalações, mas não encontrou nenhuma luz sobre o assunto. Imediatamente Boone foi levado preso, mas não durou muito; vergonhosamente ele protestou não saber nada do assunto e disse que as manchas de sangue em sua manga eram devidas ao corte que ele realmente tinha no dedo. Em relação à afirmação Mrs. Clair de ter visto seu marido na janela, ele declarou que ela deveria estar ficando louca. Ele foi removido, deixando claro seu protesto em relação ao trabalho da polícia. O inspetor permaneceu nas instalações na esperança de encontrar uma pista fresca. E então, depois de alguns dias, encontraram na beira do rio o casaco de Neville St. Clair que ficou descoberto à medida que a maré recuou. E o que você acha que eles encontraram nos bolsos?

— Não posso imaginar.

— Não achei que você acertaria. Os bolsos estavam recheados de moedas, como era de se esperar para que afundasse.

— Mas se todas as outras roupas foram encontradas no quarto... O corpo estava somente com o casaco?

— Não, mas vamos supor que esse homem, Boone, empurrou St. Clair através da janela. Em seguida, ele procurou um jeito de se livrar das roupas comprometedoras, mas ele teve pouco tempo, pois a esposa começou a tentar subir e Lascar o avisou que a polícia estava correndo pela rua. Não havia um instante a ser perdido. Ele correu para um lugar secreto e acumulou os bolsos do casaco com moedas para garantir que ele afundasse. Ele teria feito a mesma coisa com as outras roupas se não fosse pela correria. Só teve tempo de fechar a janela, quando, então, a polícia apareceu.

— Certamente, parece viável.

— Vamos usá-la como nossa hipótese de trabalho, por falta de uma melhor. Como lhe disse, Boone já foi preso e levado para a delegacia, mas não encontraram maiores evidências contra ele. Ele é um mendigo, mas seus antecedentes são de inocência. Agora precisamos resolver outras questões pendentes, como o que Neville St. Clair foi fazer na casa do ópio, o que aconteceu com ele lá e o que Hugh Boone teve a ver com o seu desaparecimento. Confesso que, em todos os meus anos de experiência, nunca vi um caso aparentemente tão simples, mas com tantas dificuldades.

Enquanto Sherlock Holmes estava contando detalhadamente a série de eventos, nós estávamos saindo dos arredores da grande cidade, podendo ver as últimas casas. Nos encontrávamos junto com a cobertura rural que vinha surgindo ao nosso lado. Assim que ele terminou, no entanto, nos dirigimos para perto de um pequeno vilarejo onde as luzes brilhavam nas janelas.

— Nós estamos fora de Lee — disse meu companheiro. — Chegamos a este pequeno vilarejo após passar por Middlesex, Survey e Kent. Vê as luzes entre as árvores? Esses são os Cedars e, ao lado, está a mulher sentada, cujas orelhas ansiosas já captaram o som da cavalgada de nossos cavalos.

— Mas por que você não está conduzindo o caso da Baker Street? — perguntei.

— Porque tem muitos inquéritos para serem feitos por aqui. Mrs. St. Clair gentilmente colocou dois quartos a minha disposição e você pode ter certeza que ela não se incomoda de receber um amigo meu. Eu não queria encontrá-la sem ter notícias de seu marido. Mas aqui estamos.

Nós descemos em frente ao vilarejo. O menino que cuida do estábulo veio em nossa direção. Eu segui Holmes até a casa. Conforme nos aproximávamos, a porta foi se abrindo e uma pequena mulher loira apareceu, com uma bela roupa rosa de chiffon. Ela mostrava estar aflita, com o corpo ligeiramente dobrado, olhos ansiosos e lábios separados.

— Bem? — gritou ela. — Bem?

E então, vendo que nós não tínhamos nada a dizer, ela começou a chorar copiosamente.

— Nenhuma notícia boa? — perguntou.

— Nenhuma.

— Nem ruim?

— Também não.

— Obrigada, Deus, por isso. Entrem, vocês devem estar cansados depois desse dia longo.

— Esse é meu amigo, Dr. Watson. Sua importância é

fundamental na resolução de muitos dos meus casos, e, por sorte, foi possível que ele me acompanhasse nessa investigação.

— É um prazer vê-lo — disse ela apertando minha mão calorosamente. — Perdoe-me por qualquer falta na preparação do quarto, você deve imaginar o meu estado com essa situação.

— Minha querida madame — disse eu —, suas desculpas não se fazem necessárias. Qualquer ajuda que eu puder trazer para ver meu amigo e a senhora felizes já me farão bem.

— Agora, Mr. Sherlock Holmes — disse a moça conforme entramos na sala de jantar —, eu gostaria muito de lhe fazer uma ou duas perguntas e eu lhe imploro que você me responda com sinceridade.

— Certamente, madame.

— Não se preocupe com meus sentimentos. Eu não sou histérica. Eu simplesmente quero sua opinião real.

— Sobre o quê?

— Você realmente acha que Neville pode estar vivo?

Sherlock Holmes ficou em uma situação embaraçosa com essa questão.

— Seja franco! — repetiu ela, colocando-se de pé e olhando fixamente para Sherlock.

— Francamente, madame, eu acho que não.

— Você acha que ele está morto?

— Sim.

— Assassinado?

— Não sei ao certo. Talvez.

— E em qual dia ele encontrou sua morte?

— Na segunda-feira.

— Então, talvez, Mr. Holmes, você possa me explicar como eu recebi hoje uma carta dele.

Sherlock Holmes se levantou de sua cadeira completamente chocado.

— O quê!?

— Sim, hoje.

Ela estava parada sorrindo segurando um pequeno pedaço de papel.

— Posso ver?

— Certamente.

Ele pegou o papel e, com sua lupa, examinou-o atentamente. Eu olhava por sobre seus ombros o que ele estava analisando. O envelope estava com o selo postal de Gravesend e com a data do dia.

— Escrita grosseira — disse Holmes. — Certamente não é a letra de seu marido, madame, percebo também que quem escreveu teve que ir perguntar a alguém sobre o endereço.

— Como você pode dizer isso?

— O nome está, como você pode ver, escrito perfeitamente com tinta preta. O resto está um pouco acinzentado, o que mostra que foi utilizado papel de borrão. Se tivesse sido escrito diretamente fora, e depois apagado, haveria uma sombra preta profunda. Esse homem escreveu o nome e deu uma pausa profunda antes de escrever o endereço, isso só pode significar que ele não estava familiarizado com o mesmo. Vejamos a carta! Tem algo aqui.

— Sim, ele tinha um anel com sua marca.

— Você tem certeza de que essa é a letra de seu marido?

— Sim! Quando ele escreve apressadamente, é muito diferente de sua escrita habitual, mas ainda assim eu a reconheço.

Minha querida, não fique assustada. Tudo ficará bem. Tem algo muito errado que pode levar algum tempo para ser corrigido. Aguarde com paciência, Neville.

— Escrito a lápis sobre a folha de um livro. Postado hoje em Gravesend por um homem com o polegar sujo. Ah! Veja a aba como foi colada! Claramente por alguém que mastiga tabaco. E você não tem dúvidas que é de seu marido, certo, madame?

— Nenhuma. Neville escreveu essas palavras.

— E eles postaram hoje em Gravesend. Bom, Mrs. St. Clair, podemos ver alguma luz, mas não digo que o perigo terminou.

— Mas ele está vivo!

— A menos que essa seja uma tática esperta para nos tirar do caminho certo. O sinal, afinal, não prova nada, pode ter sido tirado dele.

— Não! Essa é sua escrita!

— Muito bem. Pode até ser, entretanto pode ter sido escrito segunda e postado hoje.

— Isso é possível.

— Se foi assim, muito já pode ter acontecido.

— Oh, não me desencoraje, Mr. Holmes. Eu sei que tudo está bem com ele. Nós tínhamos algo sensitivo entre nós, e eu saberia se algo de mau estivesse lhe acontecendo. Nesse mesmo dia, ele se cortou no quarto, e eu, que estava na sala, tive o pressentimento de que algo havia acontecido; quando subi, lá estava ele. Você acha que, se eu pressenti algo assim eu não teria pressentido sua morte?

— Eu já vi o suficiente para saber que as impressões de uma mulher podem ser mais valiosas que qualquer análise racional. E, nessa carta, você tem algo muito forte para colaborar com o seu ponto de vista. Mas se seu marido está vivo, e escrevendo cartas, por que ele deve permanecer afastado de você?

— Eu não posso imaginar. É impensável.

— E na segunda ele não lhe deixou nada antes de partir?

— Não.

— E você ficou surpresa ao encontrá-lo em Swandam Lane?

— Muito.

— A janela estava aberta?

— Sim.

— Então ele pode ter chamado você?

— Pode.

— Pelo que entendi, você só ouviu alguns gritos incompreensíveis?

— Sim.

— Um grito de ajuda, você pensou?

— Sim. Ele estava balançando suas mãos.

— Mas pode ter sido um grito de surpresa. Ao vê-la, ele pode ter se animado e balançado suas mãos?

— É possível.

— E você pensou que ele foi puxado?

— Ele desapareceu tão brevemente.

— Ele pode ter saltado para trás. Você viu mais alguém no quarto?

— Não, mas aquele homem terrível confessou ter estado lá, e Lascar estava nas escadas.

— De onde você o viu, seu marido estava com suas roupas normais?

— Sim, mas sem sua gravata e colarinho. Eu vi sua garganta claramente.

— Ele já havia mencionado algo sobre Swandam Lane?

— Nunca.

— Ele já demonstrou algum sinal de ter usado ópio?

— Nunca.

— Obrigado, Mrs. Clair. Esses pontos eram essenciais para deixar tudo mais claro. Acho melhor nos retirarmos, pois o dia de amanhã será agitado.

Pouco depois, nós já estávamos no quarto que foi gentilmente arrumado para nós com todo conforto possível. Sherlock Holmes era um homem que, quando tinha algum problema sem resolução em sua mente, passava horas, dias e até mesmo semanas sem descansar, tentando rearranjar os fatos e analisá-los de todos os pontos de vista possíveis. Estava certo para mim que ele iria passar a noite em claro. Ele pegou seu charuto, colocou um casaco, sentou-se na cadeira e começou a pensar.

— Acordado, Watson?

— Sim.

— Pronto para dirigir nesta manhã?

— Certamente.

— Então se vista. Ninguém acordou na casa, mas eu sei onde o menino do estábulo dorme e ele pode nos ajudar.

Ele saiu rapidamente e logo voltou com a notícia de que o menino já estava arrumando os cavalos para sairmos.

— Eu quero testar uma teoria — disse ele, colocando suas botas. — Eu acho, Watson, que você está agora na presença de um dos mais absolutos idiotas da Europa. Eu mereço isso. Mas eu acho que agora cheguei à chave do mistério.

— E onde está? — perguntei rindo.

— No banheiro — disse. — Sim, eu não estou brincando — continuou ele, apesar da minha incredulidade. — Eu estava aqui, quando entrei no banheiro e vi essa bolsa. Venha, meu garoto, você vai ver que não cabe na fechadura.

Nós descemos as escadas de maneira silenciosa e nos deparamos com a bela manhã ensolarada. Então pegamos nossos cavalos e seguimos em direção a London Road.

— Em alguns pontos este é um caso singular — disse Holmes galopando. — Eu confesso que eu estava cego, mas é melhor aprender tarde do que nunca aprender nada.

Na cidade, as primeiras luzes já começavam a aparecer. Passamos pela Ponte Waterloo, cruzamos o rio e, correndo pela Rua Wellignton, seguimos em direção à Rua Bow. Sherlock Holmes era conhecido na região e, quando paramos na porta do local, dois homens o saudaram.

— A quem devo a honra?

— Inspetor Bradstreet.

— Ah, Bradstreet, como você está? Eu gostaria de trocar algumas palavras com você.

— Sem problemas, Mr. Holmes. Entre aqui!

Era um escritório pequeno, com uma pequena mesa na qual estava um telefone. O inspetor sentou-se em sua mesa.

— O que eu posso fazer por você, Mr. Holmes?

— Eu liguei para conversarmos sobre Boone, o que está sendo julgado pelo desaparecimento de Mr. Neville St. Clair, de Lee.

— Sim. Ele foi trazido até aqui e está sendo mantido cativo até o próximo inquérito.

— Eu ouvi sobre isso. Você o tem aqui?

— Nas celas.

— Ele está em silêncio?

— Ah, ele não dá trabalho, mas é um canalha sujo.

— Sujo?

— Sim, nós só conseguimos fazer com que ele lave as mãos. Quando terminar o inquérito e ele realmente for preso, nós teremos o banho rotineiro. E ele definitivamente vai precisar de um.

— Eu gostaria muito de vê-lo.

— Quer mesmo? Isso é fácil. Venha por aqui, pode deixar sua bolsa.

— Não, eu prefiro levá-la.

— Muito bem, então venha.

Ele nos levou por uma passagem que dava direto em um corredor com as celas.

— A terceira cela à direita é a dele — disse o inspetor. — Aqui está! Adormeceu, como você pode ver.

Observamos o preso que estava dormindo um sono pesado, respirando de forma lenta e profunda. Ele era um homem de porte médio, estava sujo e muito fedido. Exatamente como o inspetor havia nos dito. Tinha uma cicatriz em seu rosto que deixava sua boca torta, os cabelos eram alaranjados e a pele branca.

— É uma belezinha, não é mesmo? — disse o inspetor.

— Ele certamente precisa de um banho — disse Holmes. — Eu tinha uma ideia de que ele pudesse me ajudar a chegar a algumas conclusões.

Ele abriu a bolsa e tirou na mesma hora uma esponja de banho.

— Você é uma figura — disse o inspetor.

— Agora você poderia abrir a porta de forma silenciosa, e nós o ajudaremos a ficar com uma imagem mais respeitável.

— Bem, por que não? — disse o inspetor. — Ele não está combinando com as celas daqui.

Na mesma hora ele escorregou a chave pela fechadura.

O homem dormindo se virou e continuou a dormir. Holmes parou, pegou sua esponja e então começou a esfregá-la vigorosamente sobre o rosto do prisioneiro.

— Deixe-me apresentar-lhe — gritou ele — Mr. Neville St. Clair, de Lee, do condado de Kent.

Nunca na minha vida eu vi algo assim. O rosto do homem praticamente saiu na esponja de Holmes. Era uma tinta marrom intensa! Saiu a cor juntamente com a cicatriz horrorosa que estava em seu rosto, e também arrancou a peruca laranja. E então, lá estava, sentado em sua cama, um homem pálido, com rosto triste, de aparência refinada, cabelos negros e com os olhos fixos em nós. Quando percebeu que estava sendo exposto, ele gritou com força enfiando seu rosto no travesseiro.

— Deus do céu! — gritou o inspetor. — É, de fato, o homem desaparecido. É igual à foto!

O prisioneiro se virou com ar de desespero e exclamou:

— Seja assim então. E por que estou sendo condenado?

— Bem, eu estou há vinte e sete anos na polícia, mas esta situação merece um bolo.

— Se eu sou Mr. Neville St. Clair, então é óbvio que nenhum crime foi cometido, e, então, eu estou ilegalmente detido.

— Nenhum crime, mas um grande erro foi cometido — disse Holmes. — Seria melhor você ter confiado em sua mulher.

— O problema não é minha mulher, são meus filhos. Deus me ajude, eu não quero que eles tenham vergonha do pai. Meu Deus! Quanta exposição! O que eu posso fazer?

Sherlock Holmes sentou-se ao lado dele e colocou a mão carinhosamente em seu ombro.

— Você pode deixar para o júri limpar o assunto — disse ele —, mas é claro que talvez seja difícil evitar publicidade. Por outro lado, não existe a menor possibilidade de você convencer a polícia e as autoridades de que não tem nenhum caso contra você. Inspetor Bradstreet poderia, eu tenho certeza, fazer algumas notas do que você nos contar e nós podemos submeter às autoridades. Dessa forma, o caso nunca irá a julgamento na corte.

— Deus o abençoe! — gritou o prisioneiro. — Eu preferia morrer preso do que deixar esse segredo horrível assombrar minha família. Você é o primeiro a ouvir minha história. Meu pai era um professor em Chesterfield, onde eu recebi uma educação excelente. Eu viajei durante a juventude, tornei-me estagiário e finalmente um repórter no jornal de Londres. Um dia meu editor desejava uma série de artigos sobre a metrópole, e eu me voluntariei para fazer. Minhas aventuras sempre começavam na coleta das informações precisas. Como ator, eu aprendi algumas coisas, principalmente na parte de maquiagem. Eu pintava meu rosto como você acabou de ver, com a cicatriz, boca torta e o cabelo eu deixava alaranjado. Então, com uma roupa maltrapilha, eu pegava a estação e partia para meu destino. Eu escrevi meus artigos e pensei um pouco mais. Algum tempo depois, eu ganhei de alguns processos que participei vinte e cinco libras. Eu estava com a minha inteligência quase esgotada quando tive uma ideia súbita. Eu implorei uma quinzena ao credor, pedi um feriado aos meus empregadores e passei o tempo na cidade com meu disfarce. Dentro de dez dias eu já tinha o dinheiro e havia pago minha dívida. Bem, você pode imaginar como foi difícil; em um dia na rua eu ganhava mais do que no trabalho como jornalista. Apenas um homem conhecia meu segredo.

Ele era detentor de um quarto em Swandam Lane, no qual eu me hospedava todas as manhãs. Esse sujeito era Lascar, ele era muito bem pago. Bem, em pouco tempo eu já havia juntado um dinheiro considerável. Não quero dizer que qualquer mendigo em Londres consiga ganhar 700 libras por ano, que é mais ou menos minha média. Mas eu tinha vantagens excepcionais, que era voltar todos os dias à noite. Conforme fui ficando mais rico e mais ambicioso, eu comprei uma casa e me casei com alguém que nunca suspeitasse de minha real ocupação. Minha querida mulher pensava que eu tinha negócios na cidade. Ela mal sabia o quê. Na última segunda, eu tinha terminado mais um dia e estava me vestindo no quarto acima da casa de ópio quando olhei pela janela e vi, para meu horror e tormento, que minha mulher estava parada na rua, com seus olhos fixos em mim. Eu dei um grito de surpresa, levantei meus braços e escondi meu rosto e, apressando-me, avisei Lascar para não deixar ninguém subir. Rapidamente eu tirei minhas roupas, puxei aquelas roupas de mendigo e coloquei meus pigmentos e peruca. Mas então ocorreu-me que poderia haver uma busca na sala, então abri a janela e, pela minha violência nesse ato, acabei me cortando. Peguei meu casaco e saí correndo, joguei-o no Tâmisa. Deveria ter pegado as outras roupas, mas, naquele momento de pressa, não pude. Depois de um tempo correndo fui encontrado, e, para meu alívio, em vez de ser identificado como Neville St. Clair, fui preso como seu assassino. Não sei se tem algo a mais que eu precise explicar. Eu estava determinado a preservar meu segredo o tempo que precisasse com esta cara suja. Sabendo que minha esposa estaria em uma terrível ansiedade, eu entreguei meu anel com o selo para Lascar e, quando ninguém estava vendo, eu escrevi a ela uma carta dizendo que ela não precisaria temer.

— Essa carta só chegou ontem — disse Holmes.

— Deus meu! Que semana ela deve ter passado!

— A polícia ficou de olho em Lascar — disse o Inspetor Bradstreet —, e é por isso que ele deve ter tido dificuldade em enviar uma carta sem ser visto. Provavelmente ele entregou a alguém que acabou se esquecendo de fazê-lo por uns dias.

— Então foi isso — disse Holmes. — Eu não tenho dúvidas. Mas você nunca foi indiciado por pedir esmolas?

— Várias vezes, mas eu não me importava.

— Entretanto, isso acaba aqui — disse Bradstreet. — Para a polícia acalmar essa história, não poderá haver mais Hugh Boone.

— Eu juro pelos juramentos mais solenes que um homem pode fazer.

— Nesse caso, é provável que não exista mais nada a ser feito. Mas, se você for encontrado de novo, tudo virá à tona. E, Mr. Holmes, nós estamos em débito com você por ter limpado essa situação.

— Que bom que conseguimos — disse meu amigo sentado em alguns travesseiros e consumindo uma xícara de chá. — Eu acho, meu caro Watson, que se nós dirigirmos para a Baker Street, deveremos chegar a tempo para o café da manhã.

O carbúnculo azul

Eu fui até meu amigo Sherlock Holmes no segundo dia após o Natal com o intuito de lhe dar os cumprimentos tradicionais à temporada. Ele estava deitado no sofá, com um roupão roxo, um pouco de fumo e uma pilha de papéis amassados. Ao lado do sofá, havia uma cadeira de madeira, com um chapéu de feltro pendurado em cima, de maneira grotesca; no assento da cadeira estava uma lupa e uma pinça, o que sugeria que alguém teria usado esses instrumentos para analisar o material no chapéu.

— Você está concentrado — disse eu —, talvez eu o tenha interrompido.

— Nem um pouco. Eu estou feliz de ter um amigo com quem eu posso discutir os resultados de minha análise. Esse caso é um dos triviais, mas tem alguns pontos com algumas conexões que não compreendi.

Eu me sentei na cadeira de balanço e aqueci minhas mãos junto à lareira.

— Eu imagino que, do jeito que está, essa coisa tem ligação com alguma história mortal. Essa é a pista que vai levá-lo à solução de algum mistério e à punição de um crime, por consequência.

— Não, não. Nenhum crime — disse Sherlock Holmes rindo. — Apenas um daqueles pequenos incidentes que acontecem quando você têm quatro milhões de seres humanos se empurrando entre si em um espaço de alguns metros quadrados. Em meio à ação e reação de um denso enxame de humanidade, toda combinação possível de evento pode ser esperada que aconteça, e um pequeno problema como o que será apresentado pode ser impressionante e bizarro, sem, no entanto, ser criminoso. Já tivemos experiências como essas.

— Muitas, inclusive — disse eu. — Dos últimos seis casos de que participei, três deles não tinham nenhum crime incluído.

— Precisamente. Você deve se lembrar da minha tentativa de encontrar os papéis de Irene Adler, o singular caso de Miss Mary Sutherland e a aventura do homem da boca torta. Bem, eu não tenho dúvidas de que esse pequeno problema irá se encaixar na mesma categoria. Você conhece Peterson, o comissário?

— Sim.

— Este trapo pertence a ele.

— Esse chapéu é dele?

— Não, ele o encontrou. O dono é desconhecido. Eu imploro para que você analise esse problema como um intelectual. E vamos lá: primeiro, como isso chegou aqui. Era manhã de Natal, chegou aqui o chapéu na companhia de um ganso gordo, que eu não tenho dúvidas de que foi assado pelo Peterson. Os fatos são: às quatro da manhã no Natal, Peterson, que, como você bem sabe, é um homem muito honesto e trabalhador, estava voltando para casa pela Estrada

Tottenham Court. Na frente dele ele avistou um homem alto, andando com um ligeiro tropeço e carregando um ganso branco pendurado em seu ombro. Quando estava entrando na Rua Goodge, Peterson viu alguns homens se aproximando do estranho; ele, de repente, viu seu chapéu caindo e suas mãos se debatendo, como se estivesse se defendendo. Peterson correu para ajudá-lo, mas o homem, assustado por ver alguém como Peterson tentando ajudá-lo, fugiu pelas ruas, largando o ganso e o chapéu ali. Os assaltantes também fugiram, e Peterson, por sua vez, ficou com o ganso e o chapéu.

— E ele, com certeza, foi procurar devolver para o dono?

— Meu caro companheiro, é aí que está o problema. É verdade que no ganso havia um pequeno cartão escrito "Para Mrs. Henry Baker", e também as iniciais H.B. são legíveis no chapéu, mas, assim como existem milhares de Bakers, existem centenas de Henrys Bakers nesta cidade; não é fácil devolver nada a ninguém.

— Então, o que Peterson fez?

— Ele trouxe ambos para mim na manhã de Natal, sabendo que até mesmo os menores problemas seriam interessantes para mim. Mantivemos o ganso até esta manhã, pois, apesar da geada, seria bom consumi-lo sem demora desnecessária. O ganso cumpriu seu destino final, enquanto o chapéu do cavalheiro que ficou sem ceia de Natal continua aqui.

— Ele não apareceu procurando?

— Não.

— Então, qual pista você tem de sua identidade?

— Só o que conseguimos deduzir até agora.

— Do seu chapéu?

— Precisamente.

— Você só pode estar brincando. O que você pôde descobrir desse trapo de feltro?

— Aqui está a minha lupa. Você conhece meus métodos. E você, o que pode concluir?

Eu peguei o objeto com minhas mãos e o virei. Era um chapéu preto como qualquer outro, duro e de formato regular. O forro velho estava desgastado. Não havia o nome do fabricante, mas, como Holmes observou, as iniciais "H.B." estavam rabiscadas de um lado. Foi perfurado na borda por um segurador de chapéu, estava sem elástico e bem gasto. De resto, ele estava manchado, extremamente empoeirado e com algumas tentativas de tinta para esconder as manchas.

— Eu não consigo ver nada — disse eu devolvendo o chapéu para as mãos do meu amigo.

— Pelo contrário, Watson, você viu tudo. Na verdade, você falhou nas conclusões do que viu. Você é muito tímido na hora de fazer inferências.

— Então, por favor, diga-me o que você pode inferir a partir desse chapéu.

Ele pegou o chapéu e começou a ficar com aquela cara introspectiva, característica dele.

— É, talvez seja menos sugestivo do que poderia ter sido — observou —, mas, ainda assim, tenho algumas inferências a serem feitas. Veja: o homem era altamente intelectual e, obviamente, em face disso, era bem-sucedido dentro dos últimos três anos, embora atualmente se encontrasse em uma situação ruim. Ele tinha alguns saberes importantes, mas tem menos agora do que antigamente, o que resulta num retrocesso, declínio de fortuna e parece que isso veio em virtude do seu hábito de beber. Isso também pode explicar o fato de que sua esposa deixou de amá-lo.

— Meu caro Holmes!

— Entretanto, ele manteve um pouco de seu autorrespeito. Ele é um homem de vida sedentária, sai pouco, é de meia idade, tem cabelo grisalho, o qual ele cortou recentemente, e ele usa creme de limão. Esses são os fatos mais fáceis de serem deduzidos a partir do seu chapéu. É provável que ele não tenha gás em casa...

— Você está de palhaçada, Holmes.

— Não. É possível que, quando eu lhe der os resultados, você veja como essas suposições foram feitas.

— Eu não tenho dúvida de que perto de você eu pareço estúpido, mas eu preciso confessar que, desta vez, eu não consegui acompanhá-lo. Por exemplo, como você deduziu que esse homem era um intelectual?

Para responder, Holmes colocou o chapéu em sua cabeça.

— É uma questão de capacidade cúbica — disse —, um homem com uma cabeça tão larga deve ter um grande cérebro.

— E sobre o declínio das fortunas?

— Esse chapéu já tem três anos. É um chapéu de grande qualidade. Se esse homem pôde comprá-lo um dia, significa que ele já teve dinheiro, mas desde então começou a não ter mais.

— Bem, agora ficou mais claro.

— Os pontos adicionais de que ele é de meia-idade, tem cabelos grisalhos que foram cortados recentemente e que ele usa creme de limão, todos eles podem ser recolhidos a partir do interior do chapéu. A lente revela uma grande quantidade de cabelos finos, corte limpo pelas tesouras do barbeiro. Todos eles parecem estar aqui como adesivos. As marcas de umidade demonstram que o portador transpirava muito, logo, dificilmente poderia estar em boas condições físicas.

— E quanto a sua mulher, você disse que ela deixou de amá-lo.

— Esse chapéu não é escovado há semanas. Quando eu o vejo, meu caro Watson, com semanas de pó acumulado sobre seu chapéu, e sua mulher permitiu que você saísse assim, eu temo que você também tenha perdido um pouco do afeto de sua mulher.

— Mas ele pode ser solteiro.

— Não, ele estava levando o ganso como uma oferta de paz para sua esposa. Não se esqueça do cartão na pata do animal.

— Você já respondeu tudo. Mas como você pôde deduzir que o gás não estava instalado?

— Uma ou duas manchas de cera é uma coisa, agora quando vejo cinco ou mais, só posso deduzir que o gás da casa do rapaz havia acabado e ele precisava andar com uma vela na mão. Satisfeito?

— Bem, isso é um pouco ingênuo, mas como você disse, não tem nenhum crime envolvido, e nada pode ser feito em relação ao ganso perdido. Tudo isso me parece um desperdício de energia.

Sherlock Holmes estava abrindo sua boca para responder quando Peterson abriu a porta e entrou no apartamento com o rosto atormentado.

— O ganso, Mr. Holmes! O ganso! — disse ele.

— O que tem o ganso? Ele voltou à vida depois que o dispensei pela janela da cozinha? — Holmes se virou no sofá para observar a face do homem.

— Veja aqui, senhor! Veja o que minha esposa encontrou!

Ele estendeu a mão e, no centro dela, estava uma pedra azul cintilante, menor que um feijão, mas com tamanha pureza e brilho que nos impressionava.

Sherlock Holmes se sentou estupefato.

— Por Deus, Peterson. Isso é de fato um tesouro. Eu suponho que você saiba o que tem nas mãos?

— Um diamante, senhor? Uma pedra preciosa.

— É mais que uma pedra preciosa. É a pedra preciosa!

— É o carbúnculo azul da condessa de Morcar! — disse eu.

— Precisamente. É absolutamente único em tamanho e forma. Ele estava sumido, e foi oferecida uma recompensa de mil libras para quem o encontrasse.

— Mil libras! Santo Deus de misericórdia!

O comissário pulou da cadeira e ficou nos encarando.

— Essa é a recompensa, e sei que existem razões sentimentais para que esse valor seja oferecido.

— Se eu me lembro bem, ele sumiu no Hotel Cosmopolitan — disse eu.

— Mais precisamente, no dia 22 de dezembro, há cinco dias. John Horner, um encanador, foi acusado de pegá-lo da caixa de joias da madame. A evidência contra ele era tão forte que o caso foi encaminhado para a corte. Tenho uma folha que contém a descrição do assunto aqui, eu acredito. — disse Holmes.

Ele revirou em seus jornais, até que finalmente encontrou o que procurava e leu o seguinte parágrafo:

Roubo de joia no Hotel Cosmopolitan. John Horner, 26, encanador, foi trazido para o vigésimo segundo distrito sob denúncia de ter roubado o carbúnculo azul da condessa de Morcar. James Ryder, atendente do hotel, trouxe evidências de que Horner passou pelo quarto da condessa de Morcar no dia do roubo. Ele encontrou Horner naquele dia e mencionou a caixa de joias. Ao voltar para seu posto, ele viu que Horner não aparecia e foi avisado de que a caixa de joias da condessa estava vazia. Nesse mesmo instante, ele tocou o alarme e Horner foi preso na mesma noite, mas a pedra não foi encontrada. Catherine Cussak, criada da condessa, depôs contra Horner, e seu depoimento bateu com o de Ryner. O inspetor Bradstreet, da divisão B, deu ordem de prisão para Horner que lutou freneticamente alegando sua inocência. Durante o julgamento, Horner demonstrou emoções intensas, desmaiou na corte e foi posto para fora do tribunal.

— Essa é a versão da polícia... — disse Holmes pensativo. — A questão agora é que precisamos resolver a sequência de eventos que levam de uma joia da caixa de joias para a colheita de um ganso na Estrada Tottenham Court. Veja,

Watson, nossas pequenas deduções, de repente, assumiram um aspecto mais importante e menos inocente. Aqui está a pedra, a pedra veio do ganso, e o ganso veio de Mr. Henry Baker, o cavalheiro com chapéu velho e todas as outras características que já lhe apontei. Então, agora, devemos definir qual papel esse homem representa nesse mistério. Para isso, devemos primeiro recorrer ao meio mais simples, que, sem dúvida, é anunciar em jornais. Se esse falhar, vou recorrer a outros métodos.

— O que você vai dizer?

— Dê-me um lápis e um pedaço de papel. Agora, farei assim: "Encontrado na esquina da Rua Goodge um ganso e um chapéu preto. Mr. Henry Baker pode tê-los novamente. É só comparecer à Baker Street, 221B, às 6h30, nesta tarde". Assim está bem claro.

— Muito, mas será que ele vai ver?

— Verá. Com certeza, é um homem que fica de olho nos jornais. Ele ficou tão assustado com a aproximação de Peterson que não viu outra alternativa senão fugir, mas ele deve ter se arrependido de ter deixado seu pássaro para trás. Então, a introdução do anúncio com o seu nome o fará olhar para esse papel. Aqui, Peterson, vá até a agência de anúncio e peça para que o coloquem no jornal da tarde.

— Em qual, senhor?

— Ah, no *Globe*, *Star*, *Pall Mall*, *St. James*, *Evening News*, *Standard* e em todos os outros que você julgar necessário.

— Muito bem, senhor. E essa pedra?

— Ah, sim, eu devo ficar com ela. Obrigado. E eu lhe

digo, Peterson, compre um ganso na volta e deixe-o aqui comigo, nós temos que ter um para entregar a esse homem quando ele chegar aqui.

Assim que o comissário saiu, Holmes pegou a pedra e segurou-a contra a luz.

— Veja como brilha, é claro que ela está no foco de um crime. Toda boa pedra está. Elas são iscas. Esta pedra ainda não tem vinte anos. Foi encontrada nas margens do rio Amy, no sul da China, e é notável em ter todas as características do carbúnculo, salvo que seja azul na sombra, em vez de vermelho-rubi. Apesar da juventude, já é uma história sinistra. Houve dois assassinatos, um lançamento de vitriolagem, um suicídio e vários assaltos provocados por causa deste peso de quarenta gramas de carvão cristalizado. Quem imaginaria que algo tão belo seria a causa de mortes e prisões? Vou trancá-lo na minha caixa-forte, e deixe uma mensagem para a condessa para dizer que a temos.

— Você acha que Horner é inocente?

— Eu não posso dizer.

— Bem, então, você imagina que esse outro, Henry Baker, tenha algo a ver com o assunto?

— Eu imagino que Henry Baker seja um homem inocente que não tem a menor ideia que o pássaro que ele estava carregando estava com uma joia em seu estômago. Entretanto, eu devo determinar isso por um simples teste que farei a partir da resposta ao nosso anúncio.

— E até lá você não pode fazer nada?

— Nada.

— Nesse caso, continuarei minha rodada profissional, mas eu devo voltar à noite, no horário que você mencionou no anúncio, pois eu gostaria de ver a solução de um negócio tão emaranhado.

— Ficaria feliz em vê-lo. Eu janto às sete.

Eu estava atrasado com uma paciente, mas consegui voltar para Baker Street às seis e pouco. Como eu pude ver, um homem se aproximou da casa. Ele era alto, com capuz escocês e casaco abotoado até o queixo. Juntamente comigo, ele chegou e foi acompanhado para o quarto de Holmes.

— Mr. Henry Baker, eu acredito — disse Holmes levantando-se de sua cadeira. — Por favor, pegue essa cadeira próxima ao fogo, Mr. Baker. Está uma noite fria e eu observo pela sua circulação que você é mais adaptado ao calor do que ao frio. Ah, Watson, você chegou na hora certa. Esse chapéu é seu, Mr. Baker?

— Sim, senhor, esse é, sem dúvida alguma, o meu chapéu.

Ele era um homem grande, com ombros arredondados, uma cabeça enorme e um rosto largo e inteligente, marcado por uma barba pontiaguda de um marrom grisalho. Um toque de vermelho no nariz e bochechas, com um leve tremor de sua mão estendida, lembrou a suposição de Holmes quanto a seus hábitos. Seu casaco preto enferrujado estava abotoado até na frente, com a gola virada para cima, e os pulsos de sua cabeça afundaram de suas mangas sem um sinal de manguito ou camisa. Ele falou de forma lenta, escolhendo suas palavras com cuidado.

— Nós estamos com essas coisas há alguns dias — disse Holmes — porque esperávamos encontrar um anúncio com seu endereço. Fiquei surpreso de você não ter feito isso.

Nosso visitante deu uma risada envergonhada.

— Eu não esperava encontrá-lo, a gangue que me atacou já me deu prejuízo suficiente. Não quis gastar com um anúncio que provavelmente não teria resposta.

— Muito plausível. Falando nisso, quanto ao ganso, nós o comemos.

— Comeram! — nosso visitante se levantou da cadeira agitado.

— Sim, ele não teria mais uso depois de uns dias, mas eu presumo que esse outro ganso que compramos lhe sirva bem.

— Ah, certamente — respondeu Mr. Baker, aliviado.

— É claro, nós ainda temos pedaços, pernas e outras partes do seu próprio pássaro, se você quiser.

— Só seria útil para mim como relíquia de minha aventura. Mas, se você me permite, eu prefiro esse belo ganso que o senhor preparou para mim.

— Então, aqui está, seu chapéu e o ganso — disse Holmes. — Você se importaria de me dizer onde comprou o seu ganso? Eu sou um fã desse animal e o seu estava delicioso.

— Certamente, senhor — disse Baker. — Eu frequento o Alpha Inn, perto do museu. Este ano, o próprio museu instituiu o clube de gansos e recebemos um por poucos centavos.

Depois de dizer isso, Henry se despediu e foi embora.

— Isso é muito para Henry Baker — disse Holmes quando a porta se fechou. — É quase certeza que ele não tem nada a ver com o assunto. Você está com fome, Watson?

— Não muito.

— Então eu sugiro que nós pulemos o jantar e passemos a procurar essa pista enquanto ainda está quente.

— Faz sentido.

Nós saímos. Do lado de fora as estrelas brilhavam no céu sem nuvens e o sopro dos transeuntes subia como disparos de pistolas. Em quinze minutos de caminhada, chegamos a Bloomsbury em Alpha inn, que é uma pequena casa pública de esquina com uma das ruas que correm para Holborn. Holmes foi abrindo a porta do bar e pediu dois copos de cerveja para o senhor de cara vermelha e branca.

— Sua cerveja deve ser tão excelente quanto seus gansos — disse Holmes.

— Meus gansos?! — o homem pareceu surpreso.

— Sim. Eu estava há alguns minutos atrás conversando com Mr. Henry Baker, que é um membro do seu clube de gansos.

— Ah! Sim, eu entendo. Mas, veja, esses gansos não são nossos.

— Então, de fato, de quem são?

— Bem, eu comprei duas dúzias de um vendedor em Convent Garden.

— Ah, eu conheço alguns deles. Qual foi?

— O seu nome é Breckinridge.

— Ah! Esse eu não conheço. Bem, desejo saúde e prosperidade a você, senhor. Tenha uma boa noite.

— Agora para Mr. Breckinridge — continuou ele abotoando seu casaco. — Lembre-se, Watson, existe um homem que pegará sete anos de cadeia, a menos que possamos estabelecer sua inocência. É possível que nossa pesquisa confirme sua culpa, mas, em qualquer caso, nós temos uma linha de investigação que a polícia não tem e que nos dá uma chance singular. Vamos seguir até o final.

Passamos por Holborn, descendo até a rua Endell, passando por um ziguezague de cortiços até chegarmos ao mercado Convent Garden. Uma das maiores bancas tem o nome de Breckinridge e o proprietário tem aparência de um cavalo com rosto afiado.

— Boa tarde. Hoje teremos uma noite fria — disse Sherlock Holmes.

O vendedor não esboçou nenhuma reação para o comentário.

— Vejo que você já vendeu todos os gansos — continuou Holmes.

— Teremos quinhentos amanhã de manhã.

— Isso não é bom.

— Bem, você pode procurar nas outras barracas.

— Ah, mas me recomendaram você.

— Quem?

— O gerente da Alpha.

— Ah, sim, eu mandei para ele algumas dúzias.

— São aves finas. De onde você consegue?

Para minha surpresa, a pergunta provocou um pouco

de raiva no vendedor.

— Meu senhor, aonde você quer chegar? Vamos direto ao ponto.

— Vamos direto, então. Eu gostaria de saber onde você comprou os gansos que mandou para Alpha.

— Bem, isso eu não posso lhe dizer!

— Não era nada tão importante, mas não entendo por que o senhor ficou tão alarmado quanto a isso.

— Alarmado? Você estaria assim, como eu, se estivesse incomodado como estou. Quando pago muito dinheiro por algo, deve haver um fim, mas é meu negócio. Essas perguntas já estão me enchendo a paciência.

— Bom, eu não tenho nada a ver com as outras pessoas que fizeram essas perguntas — disse Holmes. — Se você não nos disser, vamos embora e pronto. Mas eu sempre gosto de saber mais sobre aves; cresci no país e estudo muito sobre elas.

— Bom, então você pode parar sua pesquisa, eles vêm da cidade.

— Não é nada desse tipo.
— Eu lhe digo que sim.
— Eu não acredito.

— Você acha que sabe mais sobre os gansos que eu, que tenho lidado com eles desde sempre? Eu lhe digo, todos esses pássaros que foram para Alpha são da cidade.

— Você nunca irá me persuadir para que eu acredite.

— Quer apostar então?

— Vamos, apenas para eu tirar seu dinheiro, pois sei que estou certo. Mas eu quero lhe ensinar a não ser obstinado.

— Traga-me os livros, Bill — disse ele.

Um garoto trouxe um pequeno volume fino e com uma ótima adição gordurosa, colocou-o sob a suspensão da luminária.

— Veja, eu pensei que já não tivesse mais gansos, mas antes de você terminar pude ver que ainda tenho mais um. Agora, você vê este pequeno livro?

— Bem?

— Essa é a lista do camarada do qual eu comprei. Você consegue ver? Bem, aqui nesta página tem um camarada do campo e seus números, depois seus nomes. Agora veja! Você vê esta outra página com tinta vermelha? Bem, esta é a lista dos meus fornecedores da cidade. Agora, leia o terceiro nome para mim.

— Mrs. Oakshott, Estrada Brixton, 117 — leu Holmes.

— Quase isso. Agora vire a página.

Holmes virou a página.

— Aqui está, Mrs. Oakshott, Estrada Brixton, 117, fornecedor de ovos e aves.

— Agora, quando foi a última entrada?

— 22 de dezembro. Vinte e quatro gansos.

— Isso, aqui está, e abaixo o que diz?

— Vendido para Mr. Windigate do Alpha.

— O que você tem a dizer agora?

Sherlock Holmes parecia estar profundamente desapontado. Ele jogou sobre a laje o valor da aposta e saiu andando com ar de desgosto. A poucos metros de distância, ele parou debaixo de uma lâmpada e riu silenciosamente de modo peculiar.

— Quando você vê um homem como esse, saiba que poderá dobrá-lo com uma aposta. Veja quantas informações conseguimos. Bem, Watson, pelo que vejo, estamos nos aproximando do final de nossa investigação. O único ponto agora é se devemos seguir a Mrs. Oakshott esta noite ou se deixamos para amanhã. Está claro, pelo que aquele sujeito disse, que existem outras pessoas, além de nós, preocupadas com o assunto.

Suas observações foram repentinamente interrompidas por um grande burburinho do lado de fora da barraca da qual tínhamos acabado de sair. Ao nos virarmos, vimos um pequeno companheiro no centro do círculo sendo ameaçado pelo vendedor, que parecia furioso.

— Eu já me cansei de você e seu ganso — gritou ele. — Eu queria que vocês estivessem todos no inferno juntos. Se você continuar me incomodando com sua conversa, traga Mrs. Oakshott até aqui e eu vou responder a ela; mas o que você tem a ver com isso? Eu comprei os gansos de outro, por acaso?

— Não, mas um deles era meu — disse homem.

— Bem, então diga isso a Mrs. Oakshott.

— Ela me disse para perguntar a você.

— Você pode perguntar para o rei se quiser. Eu já me cansei disso. Saia fora! — ele empurrou o pequeno homem, que sumiu na escuridão.

— Ah! Isso pode nos salvar de uma visita a Brixton Road — disse Holmes. — Venha comigo e você verá o que faremos com esse companheiro.

Percorrendo a multidão de pessoas espalhadas, meu companheiro rapidamente alcançou o pequeno homem e o tocou no ombro. Ele se virou e eu pude ver na luz todo o vestígio da cor que lhe tinha sido tirada do rosto.

— Quem é você? E o que você quer? — perguntou ele.

— Desculpe-me — disse Holmes —, mas eu não pude evitar de ouvir sua conversa com o vendedor agora há pouco. Eu acho que posso ajudá-lo.

— Você? Quem é você? Como você poderia saber algo do assunto?

— Meu nome é Sherlock Holmes. É meu dever saber o que as pessoas não sabem.

— Mas você não sabe nada sobre isso.

— Desculpe-me, eu sei tudo sobre isso. Você está tentando rastrear alguns gansos vendidos por Mrs. Oakshott para um vendedor chamado Brackinridge, por ele vendido para Mr. Winsigate, do Alpha, que, por sua vez, vendeu-os para o seu clube, do qual Henry Baker é um membro.

— Ah, é você que eu precisava conhecer, eu mal posso explicar como esse assunto me interessa — disse ele.

— Nesse caso, melhor nós discutirmos em um quarto do que nesse mercado agitado, mas, antes que sigamos, diga-me, a quem eu devo o prazer da conversa?

O homem hesitou por um instante.

— Meu nome é John Robinson — respondeu.

— Não, não. Seu nome verdadeiro. Não gosto de fazer negócio com um estranho.

— Bom, então — disse ele — meu nome verdadeiro é James Ryder.

— Precisamente. Chefe de recepção do Hotel Cosmopolitan. Entre no táxi e em breve eu lhe contarei tudo o que você gostaria de saber.

O homem estava olhando para todos os lados com ar assustado, meio esperançoso, como alguém que não tem certeza se está à beira de uma inesperada catástrofe. Ele entrou no táxi e seguimos o caminho para Baker Street. Nada foi dito durante o percurso, mas a respiração alta e fina do nosso novo companheiro mostrava sua tensão e nervosismo.

— Aqui estamos! — disse Holmes ao entrarmos no quarto. — O fogo me parece ideal neste tempo. Você parece estar com frio, Mr. Ryder. Pegue a cadeira e se aproxime. Agora, então! Você quer saber o que aconteceu com os gansos?

— Sim, senhor.

— Ou melhor, eu acho que o ganso em que você estava interessado é branco com uma barra preta em toda a parte do rabo.

Ryder pareceu emocionado.

— Oh, senhor — chorou —, você pode me dizer para onde ele foi?

— Ele veio para cá.

— Aqui?

— Sim. E não imaginava que você teria interesse nele.

Holmes destravou sua caixa e segurou o carbúnculo azul. Ryder começou a encará-lo fixamente.

— O jogo acabou, Ryder — disse Holmes com calma. — Segure-o, Watson. Ele não tem o direito de sair impune. Agora ele parece mais humano. Mais parecido com um caranguejo, para ser sincero!

Por um momento ele quase caiu, mas nada lhe aconteceu, senão um tom mais rosado em suas bochechas, e ele ficou olhando com olhos assustados para nós.

— Eu tenho quase todas as provas de que preciso. Você só precisa me dizer algo. Você já tinha ouvido sobre a pedra azul da condessa de Moscar?

— Catherine Cusack que me contou — disse ele com a voz trêmula.

— Ah, a empregada da madame. Bem, a tentação lhe ocorreu, assim como ao outro homem, e você não teve escrúpulos ao usá-lo como bode expiatório. Você sabia que esse homem, Horner, o encanador, era a peça perfeita para ser tida como suspeita. O que você fez então? Você e Cusack fizeram um pequeno trabalho no quarto da madame e você arranjou para que o homem fosse para lá. Então, quando ele deixou o quarto, você entrou lá, mexeu na caixa de joias e disparou o alarme para que o pobre homem fosse preso. Você então...

Ryder se jogou no chão aos pés do meu companheiro.

— Pelo amor de Deus, tenha misericórida! Pense no meu pai! Na minha mãe! Eu vou partir o coração deles. Eu nunca fiz nada errado antes! E não vou fazer novamente. Eu juro. Eu juro pela Bíblia. Não leve isso à corte! Por Cristo!

— Volte para a sua cadeira! — disse Holmes, bravo. — Parece-lhe sensato pedir perdão agora, mas você deveria ter pensado melhor antes de mandar o pobre Horner para a cadeia por um crime que ele não sabia de nada.

— Eu vou embora, Mr. Holmes, eu deixarei o país, senhor. Então a acusação contra ele vai cair.

— Podemos conversar sobre isso. Agora, deixe-nos saber a verdade sobre o próximo ato. Como a pedra veio parar dentro de um ganso e como esse ganso foi parar no mercado aberto? Diga-nos a verdade, é a sua única esperança de se safar.

Ryder passou sua língua em volta de seus lábios.

— Eu vou lhe contar exatamente como aconteceu, senhor — disse ele.

"Quando Horner foi preso, parecia ser a melhor hora para eu fugir com a pedra, mas o que eu não sabia era a hora que a polícia viria vasculhar a mim e ao meu quarto. Nenhum local do hotel estaria a salvo. Então eu fui para a casa de minha irmã. Ela se casou com um homem chamado Oakshott e vive em Brixton, onde ela mantém seu mercado. No caminho para lá, todo homem com o qual eu encontrava parecia ser um detetive ou um policial; e, por toda aquela noite fria, o suor corria pelo meu rosto ao longo do caminho. Minha irmã me perguntou qual era o problema e por que eu estava tão pálido. Eu disse a ela que eu tinha passado por uma situação de roubo no hotel que me traumatizara. Eu fui para o jardim e fumei um cigarro; a meu ver, era o melhor que eu podia fazer naquela hora.

Então eu comecei a pensar em como poderia esconder tal raridade. Lembrei-me do meu amigo Maudsley, que tinha alguma experiência nisso, mas não quis me envolver com alguém tão complicado. Então eu estava encostado na parede, olhando para os gansos, quando, de repente, eu tive uma ideia que poderia bater qualquer detetive na face da terra.

Minha irmã havia me dito algumas semanas antes do Natal que eu poderia escolher um ganso como presente, e eu sabia que ela sempre cumpria a sua palavra. Eu iria pegar o meu ganso já e iria carregar minha pedra dentro dele até Kilburn. Eu fui até um ganso, prendi-o em meus braços, coloquei a pedra em sua boca e empurrei até o lugar mais fundo que meus dedos alcançavam. O pássaro deu um soluço e eu vi a pedra passando pela sua garganta em direção ao seu estômago. A criatura acabou se sufocando e começou a se debater. E lá veio minha irmã para saber o que tinha acontecido. Quando eu me virei para falar com ela, o ganso se soltou e flutuou com os outros.

'O que você está fazendo com o pássaro?', perguntou ela.

'Bem', respondi, 'você me deu um de Natal e eu estava vendo qual é o mais gordo.'

'Ah', disse ela, 'nós já separamos o seu, Jem's Bird é como o chamamos. É o maior. Tem vinte e seis deles, um para você, outro para nós e o resto para o mercado.'

'Obrigado, Maggie, mas se todos parecem iguais para você, eu devo pegar o que eu já estava segurando.'

'O outro é três quilos mais gordo e nós o escolhemos especialmente para você.'

"Não precisa. Eu pego o outro, e vou pegá-lo já".

'Como você preferir', disse ela. 'Qual você quer então?'

'Aquele que está bem no meio.'

'Ah, muito bem, mate-o e leve-o com você.'

Bem, eu fiz o que ela disse, Mr. Holmes, e carreguei o pássaro pelo caminho até Kilburn. Eu contei ao meu colega o que tinha feito, porque ele era um homem fácil para se contar uma coisa como essa. Ele riu, e então pegamos uma faca para abrir o ganso. Meu coração então se derreteu como água quando percebi que não havia sinal da pedra, e eu sabia que havia cometido um terrível engano. Eu deixei o pássaro, voltei rápido para minha irmã e fui logo para o quintal. Não havia nenhum pássaro lá.

'Onde estão todos eles, Maggie?', gritei.

'Foram para os negociadores, Jem.'

'Quais negociadores?'

'Breckinridge, de Convent Garden.'

'Mas havia algum outro com a cauda barrada? Como o que eu peguei?'

'Sim, Jem, havia dois com a cauda barrada, e eu nunca poderia dizer qual é qual.'

Eu corri para encontrar Breckinridge, mas ele já havia vendido o lote e ele não me disse para quem. Você o ouviu naquela noite. Minha irmã acha que eu estou ficando louco. Às vezes, até eu acho. E agora, aqui estou eu, sem nada e ainda vendi meu caráter por isso. Deus me ajude! Deus me ajude!"

Houve um longo período de silêncio, quebrado apenas pelo som dos dedos do meu amigo batendo na mesa. Então

Sherlock levantou-se e abriu a porta.

— Saia! — disse ele.

— O que, senhor! Oh, que os céus o abençoem!

— Sem mais palavras! Saia!

E nenhuma palavra mais foi necessária. Ele se apressou, saiu pelas escadas, bateu a porta e saiu correndo pela rua.

— Afinal, Watson, eu não devo nada à polícia. Se Horner estivesse em perigo, a situação seria outra, mas esse sujeito não vai aparecer contra ele, e o caso deve entrar em colapso. Suponho que esteja acobertando um crime, mas é possível que eu esteja apenas salvando uma alma. Esse companheiro não vai fazer nada errado novamente, ele está muito assustado. Além disso, é a estação do perdão. A vida nos colocou em mais um caso em que a solução é a própria recompensa vivida por quem cometeu o crime. Se você tiver agora a bondade de atender a campainha, vamos começar outra investigação, na qual um pássaro será novamente a característica principal.

Sir Arthur Conan Doyle (1859-1930)

Arthur Conan Doyle era de família escocesa, respeitada no ramo das artes. Aos nove anos, foi estudar em Londres. No internato, era vítima de *bullying* e dos maus-tratos da instituição. Encontrou consolo na literatura e rapidamente conquistou um público composto por estudantes mais jovens.

Quando terminou o colégio, decidiu estudar medicina na Universidade de Edimburgo. Lá, conheceu o professor Dr. Joseph Bell, quem o inspirou a criar seu mais famoso personagem, o detetive Sherlock Holmes. Em 1890, no romance *Um Estudo em Vermelho*, iniciou a saga de aventuras do detetive. Ao todo, Holmes e seu assistente, Watson, foram protagonistas de 60 histórias.

Doyle casou-se duas vezes. Sua primeira esposa, Luisa Hawkins, com quem teve uma menina e um menino, faleceu de tuberculose. Com Jean Leckie casou-se em 1907 e teve três filhos.

Abandonou a medicina para dedicar-se à carreira de escritor. Seus livros mais populares de Sherlock Holmes foram: *O Signo dos Quatro* (1890), *As Aventuras de Sherlock Holmes* (1892), *As Memórias de Sherlock Holmes* (1894) e *O Cão dos Baskervilles* (1901). Em 1928, Doyle publicou as últimas doze histórias sobre o detetive em uma coletânea chamada *O Arquivo Secreto de Sherlock Holmes*.

A liga dos cabeças vermelhas
e outras aventuras

Em 1887, Arthur Conan Doyle trazia à vida o lendário Sherlock Holmes. O detetive, na companhia de seu colega, Dr. John Watson, desvenda desde então os mais incríveis mistérios e é, com certeza, um dos maiores personagens da história da literatura policial.

O conto *A liga dos cabeças vermelhas* faz parte da coletânea de contos mais conhecida do autor e cativou a todos desde que foi apresentado ao público por ser uma história extraordinária do começo ao fim. Neste livro, você encontra essa e outras aventuras.

A lógica cativante, o raciocínio instigante e o suspense presentes nas histórias são só algumas das características que farão você se apaixonar pelos livros. A coleção da Pé da Letra apresenta romances e coletâneas de contos com os mais diversos casos do famoso detetive.

Embarque nesta aventura e veja se você consegue solucionar com Holmes os mistérios aqui presentes!

facebook.com/EdPeDaLetra
instagram.com/editorapedaletra
www.editorapedaletra.com.br

Todos os direitos desta edição reservados para Editora Pé da Letra.

ISBN 978-85-9520-074-6

UM ESTUDO EM VERMELHO

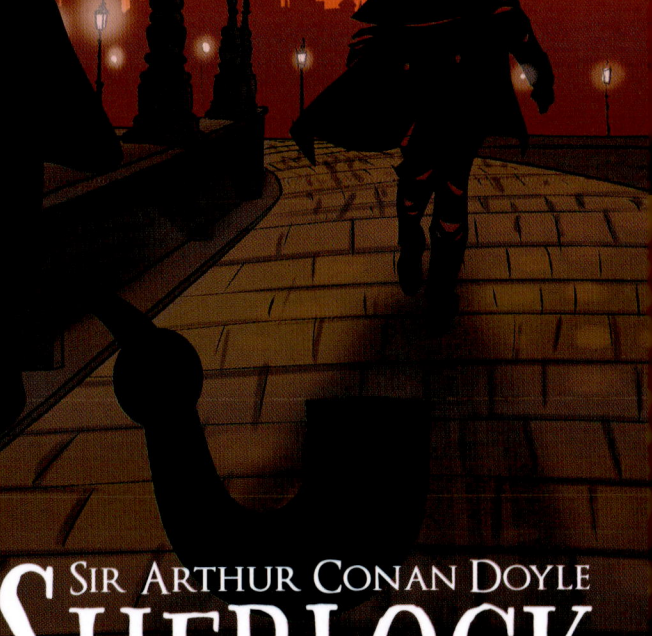

Sir Arthur Conan Doyle

SHERLOCK HOLMES